人の上に立つ人になれ

上智大学教授
渡部昇一

三笠書房

「人の上に立つ人」になれ◆目次◆

2章 これが「不安知らず」の腹のくくり方

3章 「順」に逆らえ、「やり方」を変えろ！

4章　頭《トップ》に立つ人にはこの〝凄み〟がある！

5章　「運がついている人」の生き方を真似ろ！

6章　人をシビアに「見分ける目・評価する目」

7章 「豊かさ」の中で失ったものを取り戻せ！

10章 自分を〝グローバル化〟できない人は滅びるしかない！

◎まえがき

これが「この人についていけば間違いない」と思わせる人の生き方！

渡部昇一

現在のような経済乱世ともいえる時代において、自分で納得のいく生き方をして自己実現し、かつ人の上に立つために必要な要素とはいったいどのようなものなのだろうか。

私は、主に三つの要素が不可欠なのではないかと思っている。

その第一はまず、「生き筋」を見る力があることだろう。

生き筋を見る、とは、どんな困難な状態にあっても、自分なりの工夫をして自分を生かす道を見つけること、自分を生かす方法を見極めることである。

たとえば、ある大きなプロジェクトを動かすとする。しかし、経験の浅い人、あるいは能力的にまだその段階に至っていない人には、そのプロジェクトの全体はあまりよく見えないものだ。個々の仕事の重要さは理解し得ても、それがどのようなつながりを持ち、他のセクションやさらには外部の企業などとの連繫で、最終的にはどのようなビッグ・プロジェクトとして完成していくのかなどは、よくわからないのが普通だろう。これはある程度はやむを得ないことなのかもしれない。

だが、人の上に立つ者がそれではダメである。部下には見えない仕事の流れをしっかりと把握し、それにもとづいて部下たちを動かしていかなければ、仕事そのものの完成度も低くなるし、また、部下たちにも不満がつのって、ついてこなくなる。

たとえどんな悪条件に陥っても、あらゆる原因を一度自分に引き寄せ、それを冷徹な目で分析し、最善、次善の手を打つこと。また、つらい部分は全部自分でかぶる覚悟ができなければならない。つまり、まず自分の血を流すくらいの覚悟ができていなければ、人もついてこないし、また運もついてこないということだ。そして、人と運のこの二つを味方にしてこそ、より強い運命を自分の懐へたぐり寄せることができるのである。

そういう意味でいえば、生き筋とは、自分の責任において運命の糸を引くことだといえるかもしれない。糸を強く引けば引くほど、手は痛い。しかし血が出るまで引き続けなければ、運命を引き寄せ、成功を勝ち取ることはできないのだ。

失敗の原因を自分ならぬ他人に求める人は、一時的には地位を得るかもしれない。しかし結局は転落してしまう。それは、自分の手で糸を引っ張っていないからだ。失敗した時の血の出るような自己反省や心の痛みを実感として知らない者は、いつのまにか浮いてしまい、人々から見放されてしまうのである。

ところで、運、不運は人生のどんな場面においても現われるものである。ビジネスの世界においてもそれは同じだ。そして、運の悪い状況に陥った時にこそ、人の上に立つ者としての資質が試される。血の出るような思いをして運命の糸を引くことができるかどうか、そういう度量があるのかどうかで人の価値は決まってくると思うのである。

生き筋の見える人とは、部下たちには見えない引っ張るべき糸が見えている人である。そしてまた、それを実行に移す度胸も兼ね備えている人である。

「自分には見えないものを見ている」――そう思える人に人はついていく

生き筋が見えていた最もいい例が織田信長だと思う。彼は、老臣たちからはうつけ者といわれていたくらいだから、もっと下の部下たちにはほんとうに何を考えているのか、何をやっているのかさっぱりわからなかったと思う。けれども信長本人には戦いの全体が見えているから、適宜手を打ち、きっちりと戦いには勝っていく。そうすると、わけはわからなくても、部下たちは信長を信頼してついていくのである。

桶狭間の戦いがいい例だ。今川義元の軍勢は二万ともいわれる大軍で、信長軍の実に十倍以上。これとまともに戦場で戦ったのでは負けは見えている。どうするか。

信長はこの時、地形の条件からどんな大軍でも進軍してくる時は紐《ひも》のような縦長になるということに目をつけた。事実、今川軍は、はるかに先駆する軍に義元の本隊がずっと遅れてついていくという、帯のようなとても長い隊列になっていた。信長はこの義元の本軍を横から一気に叩くことにすべてを賭けようとした。信長軍は約二千、義元本隊旗本は約二百だから、これなら勝負になると読んだのである。つまり、この戦法こそ自分の生き筋と見たのだ。

だが、このような信長の読みは部下には全く理解されない。事実、前夜の作戦会議において、家老の中には出陣をやめて籠城するようにと信長に進言する者もいた。しかし信長には、このような凡庸な作戦など自分たちの生き筋ではないことは、最初から見えていた。彼はうつけ者でも何でもなく、俊敏な頭脳と情報分析を瞬時に行なう明敏さを兼ね備え、臨機応変に作戦を立てていく本当のリーダーとしての気質を持っていたのである。

たとえ今川本隊に突っ込んでも、前後に長く延びきった今川軍が援助にかけつけるまでには、それ相応の時間がかかる。その時間を見越した攻撃のタイミングまで、信長はきっちりと見ているのである。そして実際、あざやかすぎるほどの手際で勝利を手に入れてしまう。

何もわからずにただひたすら突っ込んでいった部下の兵たちにとって、これはある意味では神秘的なことでもあった。うちの大将は俺たちには見えないものが見える――この意識が、信長への圧倒的な信頼へとつながっていくのである。

生き筋とはこのような、ある意味では先を見通せる透徹した目ともいえるだろう。そしてそれは、信長においても見られたように、偶然性や蓋然性に左右されるものであってはならない。あらゆる可能性を検討し、偶然というものをある意味では数学的に正確に割り出しておくぐらいの用意周到さがなければ生まれてこないともいえるだろう。

偶然は凡庸な人にとっては神秘的に映るが、優れた戦術家にとっては一つの現実にすぎないといったのは、かの戦争の天才ナポレオンだが、まさしく信長もその天才の一人だった。だからこそ、偶然をも視野に入れた戦いの全体、そしてその細部までが見えていたのである。

信長という人は、確かに非常に厳しい人だった。しかしその厳しさにもかかわらず、数多くの人材が集まったのは、やはり、下につく者にすると「自分たちには見えないものを見ている大将」という印象が強かったからだろう。そういうところで培われた関係だからこそ、揺るぎのない本当の信頼を勝ち得ることができたのである。そういうリーダーのもとでは、多少無茶なことでも部下は平気でついてくるものだ。そしてまたこのことが、現状をドラマティックに打破していくことを可能にするのである。

経済乱世に必要なのは、信長型のこのようなリーダーだと思う。過去の伝統やしきたりにしばられていたのでは、めまぐるしく変化する周囲の流れに対応していけなくなる。当然、部下からの信頼もなくなり、へたをすると見放されてしまうことにもなりかねない。ビジネスが戦場なら、そこに携わる者たちも戦場での武将たちと同じく、勝利をめざして臨機応変に対応しなければならないだろう。

だからこそ、人の上に立つことを狙うのならば、信長とまではいかずとも、絶えず現状を正確に認識するようにつとめ、情報を収集して正しく分析する努力をすることだ。それが、生き筋を見極めるほとんど唯一の方法だと思う。

奇想天外な発想を実現させてしまう力

そしてさらに、これらの努力を積み重ねることによって、自在な発想も生まれてくる。信長の凄さ、偉さというのは、もちろん戦略、戦術に優れていたということもあるが、それとは別に、新しいものに対して非常に敏感だったということがある。この敏感さのおかげで、彼は鉄砲にいち早く目をつけることができ、これを自在に利用し得たのである。

進取の気性が生き筋をつけてくれることは多い。信長が大坂の石山本願寺を攻めた時がそうだった。この時、本願寺はなかなか落ちなかった。なぜなら毛利の水軍が海路、食糧を運びこんでいたからだ。

そこで信長はどうしたか。毛利の船をつぶすために、彼は櫓《やぐら》も船腹もすべて鉄で覆った装甲船をつくり、それで毛利の水軍と戦うという奇想天外なことをやってのけた。信長側の船はいわば黒船のようなものだから、いくら毛利が火矢を射かけても通用しない。逆に長鉄砲をどんどん撃って、ついには毛利軍を全滅させてしまったのである。

生き筋が見えていたという意味では、秀吉もそうである。秀吉の場合も、家来たちはリーダーが何を考えているのかがわからなかった。当時の常識的な考え方など無視した軍の動かし方をしたからである。

九州征伐、とくに島津攻めの時がそうである。秀吉は〝天下軍〟と称して二十二万もの大軍を島津討伐へ差し向けている。当時、このような大軍を船で運ぶなどという発想は誰にも思いつかないことだった。それを秀吉は平然とやってのけた。島津は秀吉側の大軍を目にして、とても勝ち目がないことを悟り、戦意を喪失してしまったのである。こうしてさしもの島津も全面降伏をするのである。

あるいはまたその後の小田原攻めでも、ケタ違いの発想とケタ違いの軍を動員して小田原城を攻略している。

小田原城は大坂城に次ぐ大城で、長期籠城戦にはもっていこいの場所だった。それまでにも上杉謙信や武田信玄などといった天下の名将に攻められつつも、ついに退去させてしまったという実績を誇っていた。

秀吉はこの城を攻めるにあたって、島津攻めと同じく二十二万の大兵力を動かすと同時に、持久戦に備えて小田原を見下ろせる位置に城を築いてしまう。さらには、淀殿を呼び寄せたり、千利休を招いて茶会を開き、持久戦の退屈しのぎまでしている。部下の兵士たちにとって見れば、何かわけのわからないことをやっていると映ったに違いない。けれども結局は勝ってしまうため、何か自分たちとは別な視点、頭脳を持っているのだろう、先が見えるのかもしれないと考えるのだ。

実際、秀吉もまた、信長と同じように先見性も持つリーダーだったのだと思う。自分の生き筋がしっかりと見えているのである。

戦国の乱世を生き抜くのも、また経済乱世で成功を勝ち取るのも、まずもって必要な要素、それが生き筋を見る力なのだ。

いい人材は〝セコイ人間〟からは逃げていく

さて、人の上に立つ人間になるための二つ目の要素は、「このリーダーについていると得をする」と周りに思わせることだ。つまりそういう実績をつくることである。必ず得をさせてくれるとなれば、人は何事においても奮い立ってやってくれる。ここが肝心な点である。

よく、人を使って仕事をする場合のコツの一つとして、欠点をあげつらうのではなく、よいところはどしどし褒めよということがいわれる。確かにそれは大切である。しかし、何か得をしたという実利があれば、とくに褒めずとも、人はもっと懸命に働いてくれるものなのだ。仕事の成果は二倍にも三倍にもなるに違いない。

信長が他の戦国大名たちと違うところは、人を使う際のこの機微がわかっていた点だと思う。足軽上がりの秀吉を大名に取り立てたり、浪人者の明智光秀を何十万石の大名に抜擢したりしている。このような昇進制度はそれまでの日本にはなかった。実力さえあれば、手柄さえ立てれば誰にでも出世の道が開けるとなれば、人は奮い立つ。秀吉はさらにその方針を拡大して、急速に天下を統一した。秀吉の小姓で大名にしてもらわなかった者はなかったのである。

日本のビジネス界は、これからどんどん実力主義へと変わっていくだろう。そういう時代のリーダーの一つの模範を、信長は示してくれている。手柄を立てた人には必ず得をさせてやる。これが人を引っ張っていく重要な条件の一つになるのである。

ひとりの人間としてとことん〝惚れ込める〟かどうか

三つ目に重要なことは、何気ないところで部下を感心、感動させるということだろう。この点については、アメリカ三十三代大統領のトルーマンの話が参考になると思う。

トルーマンという人は実はあまり目立つところのない、大したことのない人だと思われていた。大統領に就任したのも、ルーズベルトのもとで副大統領をしていたのが、たまたまルーズベルトが死んで自動的に大統領の地位が転がり込んできただけだった。だから、一九四八年の大統領選の時には周りからはもうダメだろうと思われていた。

何せ、当時民主党政権が二十年近くも続いていて、そろそろ国民も飽きていたし、そのうえ共和党からはニューヨーク州知事のトーマス・デューイという強力な対立候補が出ていた。世論調査などでもデューイの当選はほぼ確実視されていた。こんなわけで、トルーマン陣営は一向に気勢が上がらない状態だったのである。

そんな折、ある人物から、トルーマンの陣営に潤沢な選挙資金を提供するという話が舞い込んできた。ただし、これには一定の取引条件のようなものがついていた。とはいえ、不利な選挙戦を戦っているわけだから、普通ならこの申し出を渡りに船で受け入れてもおかしくなかっただろう。

しかし、トルーマンはこの申し出をきっぱりと断った。そしてその一部始終を知ったトルーマン陣営は、トルーマンの高潔さにあらためて感服したのである。どこかサエないように見えるけれどもこのリーダーは大したものだ、という気持ちが全員に行き渡り、これを契機に皆が奮い立ってキャンペーンに取り組み、結果、奇跡ともいえる逆転勝利を手にしたのである。

トルーマンは、たぶん意図してやったのではないと思う。周囲を感心させるために申し出を断ったのではなく、トルーマン自身に染みついていた、古いタイプのアメリカ人の美徳でもってはねつけただけなのだろう。しかし、このような何気ないともいえるトップの振る舞いが、思いもかけないような効果を部下に及ぼすことがあるのである。

それはとりもなおさず、部下たちが上に立つ者の平素の行為をしっかり見ているということを物語っている。平素はボーッとしているけれども意外とできる人だとか、いつもは偉そうに振る舞っているけれども意外といやしい人だ、というような評価である。もちろん後者は論外だが、トップの意外性が効果を発揮するのは、トルーマンに見るように、平素の美徳がにじみ出る時なのだということを知っておくべきだろう。

以上、戦国時代にも似た現代の自由競争の時代におけるリーダーの資質について考えてきた。

この変化の時代はチャンスの時代でもある。世襲や年功によって序列が決まる時代には考えられなかったようなチャンスが、すべての人に与えられている。この機会を生かさない手はないだろう。自分の実力を最大限に生かして、これから人の上に立っていこうとするなら、これまで述べてきた三つの要素ぐらいは頭に入れておいてほしい。

とくに、生き筋を見定める訓練は平素から行なっておくべきだろう。平生の修養や人生観の鍛え方によって、隠されていた資質を開花させることもできるからだ。この本がそのための一助となれば幸いである。

1章

適性は「やってみる」まで決めつけるな！

人間、やってみるまでわからんじゃないか

人間の人生は一回しかないということは、誰にでもわかる。そして、一回しかないからこそ、人は自分の人生をどう生きるか、どんなに有意義に送るかについて、散々に悩むのである。

その悩み、迷いの一つに、適性ということがある。たとえば学問の専門を選ぶ場合、また就職先を選ぶ場合、何が自分に合っているのか、何が自分の適性かについて迷う。そして散々に迷ったあげく、結局はよくわからない、という人が多いのではないだろうか。結論を先にいってしまえば、まさしくそうなのだ。適性というのは、わからないものと思わなければいけないのである。

私の尊敬する、日本の近代森林学の祖で国立公園の産みの親でもある本多静六先生の場合もそうだ。先生も明治の頃の学生の例にもれず、貧乏な書生暮らしをしていた。そんな貧乏書生が将来何になるかなど、わかるはずがない。というよりも、貧乏すぎて、自分が何に向くかなどと考えるゆとりもなかったといったほうがいいのかもしれない。

そういう書生時代に奉公先のご主人から、今度、官立の山林学校ができるそうだが行っ

てみないかと勧められる。本多先生はべつに木や森や林に興味があるわけでもなかったが、ご主人が月謝の要らない学校だというので、じゃあやってみましょうと発憤し、山林学校へ入学するのだ。そしてじきに自分の道はこれしかないと思うようになり、猛烈に勉強し始めるのである。

先生はその道が自分に合っているのかどうかなど、クダクダと悩まない。そんなことを考える暇があるのなら、勉強したほうがマシだというような具合である。そしてやり始めると、自分にはこの道しかないと気づくのである。

こうして気がついてみたら、結局、日本の造林学を集大成するという偉業を成し遂げていた。さらに、その理論を国立公園や国定公園などの自然公園の創設で実践している。日比谷公園や明治神宮外苑をはじめとして、日本全国の名だたる公園のほとんどは、本多先生の手がけたものだといっても過言ではないだろう。とくに、日比谷公園にあったイチョウの道路拡張工事による伐採に反対し、「首をかけても」と辞職覚悟で運動して、その移植に成功した逸話は語り草になるほど有名だ。そのイチョウは、今では「首かけイチョウ」と名づけられている。

このような本多先生の生き方を見るまでもなく、適性というものは一心不乱に努力を積んでいるうちに見えてくるものなのである。

「たまたま」を天性にまで伸ばした二人の兄弟

司馬遼太郎さんの小説『坂の上の雲』に登場する、秋山兄弟にしてもそうだ。

後に日露戦争で大活躍することになる秋山好古《よしふる》、真之《さねゆき》は、元は四国の松山藩の貧乏士族の息子だ。兄の好古は長じて陸軍に入ることになるのだが、それは、官費で勉強できるからという簡単な理由からだった。軍に入ってから彼は騎兵を選ぶのだが、それも自分の志望と関係のない成り行きのようなものだった。

そんな男が、日露戦争では多くの勲功を立てたのだ。とくに黒溝台《こっこうだい》の戦いにおいてはロシア軍の大攻勢に耐え、奉天の会戦においては敵の大騎兵団の退路を断って日本軍を勝利に導いている。これら数多くの武勲により、好古は日本陸軍の騎兵の父とまでいわれるようになるのである。

さて、弟の真之は兄とは違う道を選び、海軍に入ることになる。兄と別の道を歩んだのは、べつに真之に何らかの意図があったわけでも、彼が陸軍よりも海軍に向いていたからでも何でもなかった。貧乏士族だったため大学に行けず、学費の要らない学校へ行けといわれて行っただけである。

そんな男が、海軍で、文字通り水を得た魚のように活躍することになるから不思議なものだ。真之は海軍兵学校を首席で卒業したあと、アメリカへ留学して戦略、戦術について学ぶ。そして日露戦争が勃発するや連合艦隊の参謀として出征し、炒《い》り豆をかじりながらさまざまな作戦を編み出し、ついにはバルチック艦隊撃滅に成功するのである。

あの日本海海戦での名電文「本日天気晴朗ナレドモ波高シ」を起草したとして有名な真之は、戦略、戦術の天才といわれている。

好古も真之も、最初から軍人をめざしていたわけではない。騎兵や海軍士官になるべく育てられたわけでもない。適性を探したわけでもなく、本当に〝たまたま〟そうなっただけである。

彼らが軍で上りつめていかれたのは、それがたまたま与えられた場所であったにせよ、命がけで努力したからだ。日本のために尽くそうと頑張ったからだ。思い悩んで右往左往する代わりに、それが天命だと思えるくらいに状況をストレートに受け入れて、真っすぐに進んで行ったからなのである。

このような姿を見ていると、適性などとあまりこだわらないほうがいいのではないかと思えてくる。もしも何かについて天才的な素質があるなら、適性などいちいち考えなくても、そのうち自然にその素質が表に出てくるだろう。だから、天才であってもそうでなくても、適性の心配などあまり必要ないと思う。

とくに最近の若い人たちは、適性を重視しようとする傾向があるようだ。何に向いているのかとか、自分の適性は何なのだろうと、四六時中考えているように感じる。そういうことを考えるのは何か深慮な姿に思えるのかもしれないが、実は全くその逆で、これは無駄なことを、ああでもない、こうでもないと考えているにすぎない。

そして、こういう人たちはちょっとでも面白くないことがあると、すぐに適性のせいにして、向いてないことをやったからだとか、性に合わない会社に入ったからだといって辞めてしまうのだ。

どうも若者たちのエゴは不当に大きくなっているのではないかと思われる。もっと単純にいってしまえば、自分にとって楽なことや面白いことしか考えない人間、そしてそれを基準にして物事を考える人間、要は生意気な人間が増えているということだ。

そういう意味でも、若い人には本多静六先生の生き方を勧めたい。先生の生き方を学べば、どんな学校へ入ろうが、また、どんな会社へ就職しようが、そこでいかに必死に生きるかということが大切だということがわかってもらえると思う。

今いるところで、さまざまな工夫をし、超人的ともいえる努力をする。そのことが人生を切り開く大いなる道となっていくものなのである。

この「不器用さ」が逆に大いに幸いした

私自身のことでいっても、今の職業が果たして適性によるものだったのかと振り返ってみると、どうもそうでもないことのほうが多かったように思う。

英語にしても、私はどちらかといえば、わかりのよくないほうだった。だから、並の先生から教わっても全くわからなかった。それが、たまたま旧制中学から高校時代、佐藤順太先生という偉い先生と巡りあい、指導を受けることができたおかげで、英語学者になろうと思うまで、英語にのめりこめたのである。

当時、他の連中が普通の先生に教えてもらってもわかるところも、私は本当に理解できなかった。同じことを佐藤先生に説明していただいてようやくわかるという具合だった。どちらかというと、自分は不得意な分野へ進んだのかもしれないと思っていたくらいである。

けれども、当時の私には迷って道を選び直している財力も時間もなかったから、それはそれでいいと考えた。まさに、あとはひたすら勉強するより仕方がないという感じだったのだ。今でこそ偉そうに英語を教えているけれども、英語に関しては他人よりも異常にぶきっちょな状態から出発したと今でも思う。

人生面白いもので、私の場合、このぶきっちょさがかえって都合よく作用してきた。ぶきっちょというのは、要するに物わかりが悪いということだから、こうですよ、ああですよと懇切ていねいに説明してもらわないとわからない。さらに、ある程度説明してもらっても、あとからどんどん疑問が生じてきたりして、それが高じてほとんどわけのわかならない疑問になってしまっていたりもする。

だが実は、これらの疑問を一つひとつ解決しようとする試みが累積して、いつの間にか学問になっていたのである。

大学の時の同級生や一級下に、ものすごく英語のできる奴がいて、先生のいうことなどパッパッとすぐにわかってしまっていた。こいつらは天才じゃないかと思えるほど、英語がうまかった。けれども彼らが英語学者になったかというと、そうではなく、商社などへ就職していった。商社では、パッと英語がわかる、そういう能力が求められていたからだ。

そして、どういうわけか、こういっては悪いが、英語クラブで一番できの悪かった者が某大学の英文学の教授になり、彼と並んでできの悪かった私も英語を教えてメシを食っている。人生とは、意外とそういうものなのだ。

私が初めて自分に自信を持った「小さな事件」

そうはいっても、私の場合にも、ある程度はこの道で行けそうかな、自分には英語に適性のようなものがひょっとしたらあるのかもしれない、と思った瞬間がある。それは大学三年の英書講読か何かの授業の時だったと思う。

その授業のテキストは、チェスタトンの『文学におけるビクトリア朝』（"*Victorian Age in Literature*"）だったのだが、本がないものだから、タイプで打った冊子を使っていた。これを読み進んでいくうちに、どこのフレーズだったかは忘れたが、私はとんでもない疑問にぶつかった。

文章の意味は普通に通じるのだが、そこは反対の意味でなければ文脈上おかしいのではないかという部分があったのだ。そのまま読んでいれば意味自体は通じるから、普通だと何の疑問もなく読みとばしていける。けれども、どうも今まで読んできたのと話の筋が違ってくると思った。

それで先生に、原本を見せてくださいとお願いして見せてもらったところ、案の定、ワン・パラグラフほど、まるまる抜け落ちていた。普通、ワン・パラグラフも抜けていれば、意味が全く通じなくなるから、間違いがあるとわかる。しかしこの場合には、抜けていても文意が通じたため、誰も気がつかなかったのだ。他の学生はもちろん、ドイツ人の先生さえも気づかずに読んでしまっていたのである。しかも、抜けたために原本とは意味が反対になってしまっていたという、きわめて珍しいケースだった。

当時、チェスタトンの本は教科書としては手に入らなかったため、先生が学生のためにと、秘書か誰かにタイプを打たせたのだと思う。その時に、間違って打ちもらしたのだろう。しかも、間の悪いことに、とでもいおうか、タイピストも英語のできる人だったため、意味だけは通じるように打ち損なってしまったのだ。

最初におかしいなと気づいた時には、そんなに英語ができるわけではなかったから、ひょっとしたら自分の読み違いで、おかしいと思う自分がおかしいのかもしれないと思った。書いているチェスタトンがおかしいわけがないからだ。

しかし、教科書は意味が反対になっていたわけだから、どう考え直しても、馬鹿げた内容になっている。だから、私がおかしいのかチェスタトンがおかしいのか決着をつけてやろうと、本当に勇気を奮って、先生のところへ聞きに行ったのだ。

そうしたら、見事に文章が落ちていたのである。担当の先生はドイツ人で、非常に厳しくてうるさい先生だったのだが、この時、「君は学者になれる」といってくれた。大学三年、二十一歳の時だったが、この瞬間、「ああ、ひょっとすると、本当に学者になれるのかもしれない」と実感として思った。それから何となく自信というものもついてきて、それこそ「学に志す」状態になっていったのである。

そうして勉強を続け、二十八歳の時にはドイツで博士論文を出版した。この時国際的にも通用するようになったわけだから、これが私にとっての自立ということなのだと思う。『論語』の三十歳よりも若干若くして自立したことになるのだが、それもこれも、先生運が良くて、ドイツでも非常に良い先生に出会えたためだと思う。このような恵まれた環境がなければ、博士論文を書くのも、三十三、四歳ぐらいになっていたかもしれない。

余談だが私の場合には、本多先生の影響も受けていたから、単に自分だけが食えるという意味の自立とは違った自立観を持っていた。単に食うだけなら猫でも食える。本当の自立とは、親をも養えるだけの力を持つことだと思っていた。事実、私は親を養えたわけだから、当時からそれ相応に自立していたといえるだろう。

九九パーセントの人間は「何にだって向いている」

要は、適性があるとかないとかを考えず、自分の置かれた環境の中で、ある程度のところまで頑張ってみることだ。生き方がぶきっちょだといわれようが、反応が鈍いといわれようが何だろうが、周囲の目などは気にせず、とにかくひたむきに一所懸命にやってみる。そしてこれでとりあえず一人前、というところまで行ければ、大方は大丈夫なのだ。

それを、好き嫌いだけで中途半端に会社を辞めてみたり、ちょっと合わないといっては仕事を変えてみたりしているようでは、いつまでたっても自立できない。

仕事や世の中を安易に考えてはいけないのはもちろんだが、自分には何か適性があるなどと、大それたことを考えてもいけないのだ。ゲーテやアインシュタインでもあるまいし、適性があるなどと考えること自体がおこがましいと考えるぐらいでよいのだ。

もしも、何か適性があるなどと考えているようなら、それは一種のエゴマニアック（エゴ肥大に陥って、自分を過大評価している人）だ。これでは人生は失敗だらけになってしまう。

九九パーセントの人間は、何にだって向いているのだ。また、そう考えたほうがいいのだ。それくらい大らかな気持ちがなければ、一丁前の人間にはなれないということだ。たとえ偶然が作用して人生が決められたとしても、何にでもなれるという謙虚な気持ちがあれば、その道で一流の人物となることができるのだ。

結局、この「ひたむきさ」の前に敵もライバルもいない

先に述べた『坂の上の雲』の秋山兄弟を見習えばいい。彼ら兄弟が日本海海戦で日本を勝利させ、また大陸でのロシアとの戦いにおいても勝利に導いたのは、たまたま行けといわれて行ったその場所で、日本を背負って立つぐらいの気持ちで挑んだからだ。偶然の作用で人生を決められたその時から、ただひたむきに自分の責務を忠実に果たしていったからこそ、活躍の場が広がっていったのである。

このことは、戦後の日本の会社を復興させた多くの人たちについてもいえる。ＮＥＣにしろ富士通にしろ、これらの会社を戦後復興させ、世界的な企業にまで発展させた人たちの多くは復員軍人だ。彼らは、二十歳ぐらいから三十歳ぐらいまでの若い頃には、本当に軍人になろうと思っていたはずである。

そんな軍人志望の青年が戦後、企業家になるのは、たまたま国が負けたからなのであって、適性があったからでも何でもない。だいいち、軍人になろうという人の適性など、商売には最も向かないものだろう。軍人は、金もうけを最も軽蔑するのが普通だからだ。

そういう人たちが、戦後商売をやって成功させているのである。人の適性ほどあてにな

らないものはないと考えるべきだろう。

だから、もしも適性ということを云々したいのならば、もっと違った次元でいわなければならない。たとえば、宮尾登美子さんの『序の舞』という小説に描かれている上村松園《うえむらしょうえん》という女流画家だ。

この小説を読んでいると、上村松園という女性は画家として生まれついたような人だということがよくわかる。小さな頃から、とにかく絵を描いていなければ、夜も日も明けぬというような状態なのである。どんなことが起ころうが、天地がひっくり返ろうが画家にならざるを得ない人、画家としてしか生まれついていない人。このような人についてのみ、適性という言葉は使われてしかるべきなのだろうと思う。

そうでない普通の人には使っても無意味だ。だから大部分の人間は、適性があるかないかなど、考えるだけ無駄だとわきまえるべきなのである。

2章

これが「不安知らず」の腹のくくり方

今の〝不安〟を裸にして「正体」を見れば――

世の中が大きく変わっていこうとする時、その動きに対して不安を感じる人は少なくない。先行き不透明な時代とよくいわれるが、それは換言すれば、どうなるかわからないので不安になる、ということである。

だが、不安の時代というのは、なにも今に始まったことではない。戦前、あるいはその前にもあったのだ。

不安は、ドイツ語でAngst（アングスト）というが、これはもともとは〝狭まる〟という意味である。だからたぶん、語源は胸がキュンと締まるような感じを表わす言葉なのだろう。不安な時というのは、まさに気持ちが締まる感じがするものだ。

さて、このような不安を感じていたのは、以前は大方が哲学者だった。十九世紀のヨーロッパでは、生に対する不安といったことが流行《はや》った。この思想の流れは、ショーペンハウエルを祖としてキルケゴールやニーチェといった哲学者たちに引き継がれ、その後実存主義となっていくのだが、そこで問われている生の不安などといっても、今でいえば贅沢な悩み、ノイローゼ的なものだったのだ。

戦前、デカンショ節で学生の間に人気のあったショーペンハウエルは、生とは苦痛なのだといって世をはかなんでいた。また、デンマークのキルケゴールという哲学者も、生に対する不安が高じたためかどうか、レオーネ・オルセンという恋人を振ってしまったりしている。

だからというわけでもないのだろうが、何に対しても不安にさいなまれ、深刻に悩んでしまう代表者の一人として、彼は風刺の対象とされたり、戯画化されたりしているのである。事実、キルケゴールは「不安の概念」という本まで書いて、不安について悩んでいるのだ。

このように、この時代の不安とは、ある意味ではノイローゼ気味の哲学者たちが、頭をかかえて憂うつ顔で、ああでもないこうでもないと、何でもないことを大仰に悩んでいただけだといっても過言ではない。

過去にあった漠然としたわけのわからない不安に対して、今の不安はもっとはっきりしている。そしてそれは、次の三つに集約できるのではないだろうか。

一つは、成功へのルートが見えなくなったことから生じる不安。二つめはリストラの不安。そして三つめが老後の不安である。

特別銘柄の〝推奨コース〟が見えなくなった!

一つめの、成功へのルートが見えなくなるとはどういうことか。これは換言すれば、出世へのコースがわからなくなったということだ。

たとえば、つい最近までは、人生で一番の出世コースといえば、東京大学の法学部を出て、国家公務員のI種試験または外交官試験に合格し、大蔵省あるいは外務省に入ることだった。民間企業ならば、都市銀行といった大手銀行へ入るか、あるいは財閥系の製造業に入るなどで、だいたい出世コースのランクが決まっていた。

つまり、役所にしろ民間企業にしろ、出世できるかどうかはみな、二十歳前後の若い時分に決まってしまったのだ。一流大学出身かそうでないかで、ある程度の先行きは決まるのだから、これでは当然、その前の段階で勝負しなければならなくなる。

こうして誰もが、十代の青少年時代から、いい大学に行けなかったらどうしようという不安に悩まされてきた。社会に出てからの出世を、十代の青少年時代から心配しなければならなかったのだから、その不安とストレスはたいへんなものだったと思う。

だが若いからこそ、そのストレスに耐えることができたし、また耐えた人も多かった。

またたとえ脱落しても、別の道でもいいとあきらめて立ち直った人も多かったのである。

変な話なのだが、私が旧制中学に合格した時、中学に行けなかった近所の連中から羨ましがられたものだ。彼らは何を羨んだのかというと、「お前はいいよな。嫁がもらえるからな」というのだ。

当時の旧制中学はいわゆるエリートの行く学校だったから、田舎からそのような学校へ進学するというのは、女性たちの憧れの的になることでもあった。つまり、高等小学校や単なる小学校を出た者よりも、はるかに結婚できる可能性が高まったのだ。結婚できるかどうかを心配する必要がなくなったという点で、私は羨ましがられたのである。

いい結婚ができるかどうかは、若い人にとって、今も昔もかなり大きな問題だろう。誰の心にも、どこかに常に引っかかっているものだ。かつてこの不安は、旧制中学その他のエリートコースへ進むことで、ある程度は解消された。しかし、今はそれもなくなってしまった。

東大法学部へ進んだからといって、いい結婚が保証されているかというと決してそんなことはない。こと結婚に関しては、東大は推奨銘柄ではなくなった。いやむしろ、東大出身者のほうが結婚できにくくなっているらしく、結婚相談所での登録もきわめて多いようなのだ。

現在、多くの若い男性がかかえている不安や悩み、ストレスなどの根底には、ひょっとしたら自分は結婚できないかもしれない、結婚まではいかなくても、女性に相手にしてもらえないかもしれないという意識が多分にあるような気がする（女性の場合は男性に対する不安となる）。異性問題で悩み、そのために自暴自棄になったりする人もいるはずなのだ。

それはともかく、程度の差はあれ、今も昔も日本の青少年問題の根底には、いい学校へ行けるかどうかという不安が常に横たわっている。ここから生じる不安は、ある意味ではどうすることもできない。若い頃、一人ひとりが自分のかかえる状況の中で向き合わなければならない現実の一つである。

〝実力第一〟のグローバル化が始まっている

だが、どうすることもできなかったこの不安も、今後は解消されていくのではないかと思う。それは、これまで揺るぎなかった出世コースというものが、しだいに狂い始めたことによる。

大蔵省という官僚のトップでさえ、以前のようなわけにはいかなくなっている。天下りも難しくなった。従来は、代議士などになるよりは大蔵省のエリートに、という考えが支配的だったが、今後は、選挙で選ばれた者のほうが重要視されるようになるだろう。それが民主主義の原理であり、アメリカなどもこのルールに従っているからである。

また銀行にしても、このところの為体《ていたらく》を国民が知るにつけ、銀行員になったからといって、そう威張れたものでもないということがわかってきた。大学教師にしてもしかりである。

このように、多くの分野で、出世コースといわれてきたものがそうでもないと見なされるようになるとどうなるのか。出世のお決まりコースに進む人が少なくなり、出世の仕方にわりと弾力性が出てくるのである。そして、学校の成績や受験から将来的な不安を感じる人が少なくなっていくはずだ。

たとえば学者になりたい者は、なりたいから努力し、競争する。東大卒だろうが京大卒だろうが、私大卒だろうが関係ない。実力ある者だけが成功していくという、ある意味でのグローバル化が起こっていくだろう。

バブル以前の海外駐在員の子弟や母親たちは、この学歴不安を最も痛切に感じていた人たちだ。私が留学していた頃、海外へ駐在していたのは、ほとんどすべてが大企業のエリート社員だった。バブル期以前は、大企業でなければ海外へ支店など出せなかったからである。

そして、彼らエリートおよびその奥さんたちの最大の関心事は、帰国してから自分たちの子供がいい大学に入れるかどうかということだった。駐在員はみな一流大学出身の秀才であったから、子供も父親のようになれるかが心配でならなかったのである。

その頃の海外には受験のための塾などないから、日本の情報が入るたびに、彼らはわが子の学力が劣っているのではないかと心配で心配でたまらない。だから私は、

「これからは東大一辺倒ではなくなります。私立の大学を出ても、一流企業の社長になる時代になります」

といってやったが、その時の親たちの安堵《あんど》した顔は、今でも忘れられない。あれからずいぶん時はたっているけれども、事実そのように変化してきている。今後はもっともっと変わっていくであろう。

進路選択の範囲が広がり、出世コースもかなり緩やかに、弾力的になっていくと同時に、コース外からも参加できるようになる。

だから、日本の青少年時代特有の不安、いい大学へ行けなければ出世できないという不安は、今後どんどん解消されていくと考えておけばいいのである。

羽根が退化してしまって飛べない人、「その日」のために羽繕《はづくろ》いを完了している人

二つめの不安は、リストラである。

これは、ニュージーランドのキーウィという飛べない鳥を例にとって考えるとわかりやすい。キーウィについては前著『自分の壁を破る人　破れない人』（三笠書房刊）でも触れたことがあるが、もう一度簡単になぞっておこう。

ニュージーランドは早い時期にオーストラリアから分かれてできた島なのだが、ここにはその時、哺乳類がまだいなかった。したがって猛獣もいない。だから、鳥は敵から逃れるために飛ぶ必要がなかったのである。すると年月を経るに従い、鳥の羽はだんだん退化して、とうとう飛べなくなってしまった。これがキーウィである。

もし、ニュージーランドがそのままの状態であったなら、キーウィも幸せに生き続けられたことだろう。

ところがそこへ白人が上陸し、一緒に猫や犬といった動物も運んできた。羽があって飛べる鳥ならば、別に犬や猫など怖くも何ともない。けれどもすでに飛べなくなっていたキーウィは、犬や猫の格好の餌食となってしまったのだ。

キーウィはいわば、突然、たまらない不安と恐れの中に投げ込まれたようなものである。もちろん鳥であるから、こうした感情を持っているわけはない。けれども、相当な不安だったに違いない。そしてこの不安こそが、今の時代の中高年のリストラの不安と重なるのである。

年功序列で、定年まで面倒をみてあげますよ、という戦後の終身雇用の世界、それは、ある意味では昔のニュージーランドだったのである。そこへグローバル化によって、牙《きば》を持つ獣のような外国企業がどんどん入ってきた。

競争の原理がまかり通るようになると、それまで何もせずとも年の功などといわれて昇進してきた中間管理職たちが、競争に耐え得る存在ではないことが明々白々となってくる。こうして彼らは、会社から捨てられるのではないかという不安に、戦々兢《きょうきょう》々とし始めるのだ。

特殊な技能があるわけでもなく、とくに努力するわけでもなく、ただ漫然と会社に出勤し、ひたすら忠実に勤めあげてきたというだけで管理職になった人たちは、羽が退化して飛べなくなったニュージーランドの鳥と何ら変わりはない。だから犬や猫が来たら、たちまち食われてしまう。

しかし一方で、この動きをむしろ歓迎する人たちもいる。それは、優秀な羽を持ちながら、「羽など動かすな」といわれてきた人たちだ。彼らはこれまでことあるごとに、動いてはダメだとか、じっとしていなさいとかいわれてきた。ちょっと頭を出しただけで、生意気だといわれ、叩かれてきたのである。

こういう人たちにとっては、犬や猫が押し寄せてきた今こそ、飛ぶべき時なのだ。

彼らは今、奮い立つような気持ちでいるはずだ。リストラされるのではないかなどと、恐れるはずがない。もちろん、飛び立つにあたっては、うまく飛べるだろうかといった不安は伴うだろう。だが、彼らにとってグローバル化やリストラの波は、一つのチャンスであることは確かである。

つまりこれからは、不安を恐怖として受けとめる代わりに、いい意味でのチャレンジとして受けとめる人が、あるいは成功するといっても過言ではないだろう。

「打たれ強さ」の見本のような人

幕末の武家もそうだった。明治維新で身分が保障されなくなった時、明暗が分かれたのである。「身分制度は親の敵でござる」などと平気でいっていた福沢諭吉のような人や、下級武士から奮い立って成功した人がいる一方で、なすすべを知らず、ただ右往左往するだけで、結局は家具まで売り、それでも足りずに娘を吉原に売るより仕方がなかった武士もいたのである。

明治維新とやや似かよった状況が、グローバル化という形で起こると考えればいい。この状況は避けるわけにはいかない。世界のマーケットが単一であろうとしている時、日本だけが従来の殻に閉じこもっているわけにはいかないからだ。

だから、今こそ腹のくくりどころなのである。チャレンジだと考えて飛んでみるか、不安におののくだけで何もせず、食われてしまうか。

もし、自分には羽がない、うまく飛べそうもないというのならば、なんとか打開の道を見つけるべきだろう。リストラの不安におののいているくらいなら、一つでも二つでも何か資格を取って武装してみたり、あるいは、人のやりたがらない仕事を率先してやってみたりしてみる。こうすれば、不安はある程度は解消するだろう。

大切なのは、今の地位にしがみつこうとしないことだ。リストラの対象になるということは、部長なら部長、支店長なら支店長の地位には向いていなかったということの証《あかし》なのである。

誰だって最初はたぶん、自分は管理職に向いていると考え、いずれは重役に、と夢みてやる気満々だった。だが、企業のトップになるためには、中間管理職とは違った能力が必要とされる。リストラされるのは、それらの能力には欠けていたということ、企業のトップには向いていなかったというだけのことなのである。

だから、いつ辞めさせられるかわからないとか、出向させられるかもしれないとおどおどして毎日を過ごすのではなく、単純労働でも何でも、自分に向いているものを求めて腹をくくってやってみる。

アメリカにおいては、リストラの不安など建国以来続いている〝日常茶飯事〟なのである。そのため彼らは、そういうことに対して打たれ強い。戦後の日本人は平穏な時代が続いていたせいか、案外、不安に弱くなっているのかもしれない。

たとえば、米ソ間で宇宙開発に火花を散らしていた時代に、その最前線でロケット開発に携わっていた一流の科学者が、東西対立が緩やかになった途端に人員削減にあい、しばらくタクシーの運転手をして暮らしているという記事をどこかで読んだことがある。この科学者のその後は知らないが、再びロケット研究の仕事につけたかもしれないし、タクシー運転手で成功しているかもしれない。また、ほかの仕事に就いているかもしれない。打たれ強く生きるとは、こういうことなのである。

とにかくリストラされたなら、腹をくくって今できる仕事を続けるよりほかに道はないのである。

親子の関係は「仕方なく」ではなく、「無理なく自然に」が基本

三つめの不安は老後に関するもので、老齢で果たして暮らしていけるだろうかといった不安だ。そしてこのことは、少子高齢化社会が取り沙汰されるたびに引き合いに出される。老後の不安が叫ばれるたびに、私は、生まれ育った鶴岡の田舎のことを思い出す。昔は、今とは比べものにならないくらい貧乏な人が多かった。だが、男の子供のいる家で、老後を心配している人など一人もいなかった。

テレビや新聞などのマスコミは、やれ高齢化になる、やれ少子化になると、総理府が出した数字を金科玉条のごとくにふりかざして、馬鹿の一つ覚えのごとくに老後が不安だと騒ぎたてる。しかし、裕福な今の時代に老後が不安で、貧乏な時代にはあまり不安ではなかったというのは、いったいどういうことなのか。

かつてはどんなに貧しい田舎でも、老人たちは孫に囲まれてなんとか食っていければそれでよかった。息子たちに葬式を出してもらえばそれで満足だった。今は、こうしたことがなくなったから不安になるのである。そしてその不安を解消するために、社会保障制度という、ある種の社会主義的な制度が導入された。これで大丈夫というよりも、これで我

慢しろというわけである。

　だが、制度というのは状況の変化を考えれば常に不安定なものだ。とくに社会主義的制度があてにならないことは、ソ連崩壊を見ても明らかである。少子化になって今の年金制度などが続けられるのかどうかはわからないし、いずれにせよ不安を生む元凶であることは確かである。

　となると、どうすればいいのか。

　単純な話である。子供たちを将来親孝行するようにしつけておくのである。なにも、一つ屋根の下で暮らさなければならないといっているわけではない。動けなくなったら病院の世話をするとか、時々は見舞いに訪れるといったようなことを、仕方なくではなく無理なく自然にしてもらえるようにするのだ。

　子供がこのようなことさえできないとなると、これは限りなく不安に陥ってしまう。

　そんな簡単なこと、と思うかもしれない。けれども、今の日本ではこのような面倒も嫌がって見なくなっている子供が増えている。これでは老後が心配になるのも当たり前だ。

　昔は、すべからく子供たちは親の面倒をみるようにしつけられていた。だから、どんなに貧しくても、親たちは不安を感じることはなかったのである。

　子供が親の面倒をみるなど、昔の日本だけにあった慣習ではないかと考える人がいるかもしれない。そんなことは決してない。欧米の先進国ではみなやっていることなのである。

こう「腹をくれ」ば不安は自然消滅する！

外国では親の面倒を子供がみるのが普通であるというのは、一つには相続法が日本とは違うということに基づいている。

老後の不安を解消するためには、親孝行を補足するものとして、今の日本の相続法は変えなければならないと思う。つまり、相続は一〇〇パーセント遺言通りにするべきである。

イギリスやアメリカなどがそのいい例だ。

以前、イギリスのエジンバラに住んでいたことがあるのだが、その時の家主は、毎週エジンバラからグラスゴーまで母親に会いに行っていた。家主は私より十歳ほど年上だったから、母親はもうかなりの老人だったと思う。出かけるたびに、私は家内と「ずいぶん親孝行な人がいるものだ。日本にはもうこんな親孝行な人はいなくなったのに」などと話していたものだった。

だが、よく観察してみると、親の面倒をよくみるのは、私の家主だけではないようだった。多くのイギリス人が、どうもそうらしいのである。

これには宗教的な理由もあるのだろうが、何といっても遺言状の力が大きいためだった。イギリスには、日本のように遺留分というようなものはない。遺留分というのは、相続人に保障されている最低限の相続分のことだ。これがあるために、日本においてはたとえ「全財産を相続させる」と遺言してもそうはならない。遺留分を侵さないような配慮が必要、などというややこしい話になってしまう。

これに対してイギリスにおいては、遺言状は、遺言状としてそのままの効力を発揮する。だから、たとえ妻といえども、財産を相続するためには安閑としてはいられなくなる。病気の夫を放ったらかしにして遊びほうけていたのでは、遺言状に名を連ねてもらえなくなるのである。子供たちにしてもしかりだ。

だから私は、遺言状を一〇〇パーセント有効ということにすれば、それこそ、親孝行合戦になると思う。これはとりもなおさず、老後の不安が少なくなるということである。

親が病院に入ろうが、遠く離れていようが何しようが、とにかく亡くなれば自動的に財産の一部が遺留分として手に入るというのでは、わざわざ親の面倒などみる子供はいなくなる。面倒をみようがみまいが同じく財産が手に入るなら、わずらわしいことなどやるのは馬鹿馬鹿しいと考えるのは自然なのかもしれない。そしてこういう子供たちを見るから、親たちの老後はどんどん不安になってしまうのである。

実際、似たような話はそこらじゅうに転がっている。

父親が存命の時には、しょっちゅう見舞いに来ていた息子の嫁たちが、母親だけになった途端に顔も出さなくなったというのもよくある話だ。出そうが出すまいが、もらう金額がもうわかってしまったからだ。遺留分がわかった途端に子供の足が遠のいてしまうなどというのは、ほとんど日常茶飯事だ。父親の財産を正確に税理士に割り出してもらえば自分の取り分はわかるからである。

残酷なようだが、こういった掌《てのひら》を返すようなことも事実として起こってしまう。だから、多少なりとも財産があれば、遺言状は一〇〇パーセント有効にしたほうがいいと思うのである。

そうすれば、極端な話、死ぬ前に面倒をみてくれた人にも財産を残すことができる。それは親切だった看護婦さんかもしれないし、お茶飲み友達かもしれない。あるいは、晩年を幸せにしてくれた女性や男性なのかもしれない。

いずれにせよ、ぼけてしまっていては裁判所は認めないが、意識がしっかりして書いた遺言状なら、遺留分というものなど考慮する必要などないと思う。

確かに、子供はかわいいし、財産を残してやりたい。けれども、かわいいからこそ、高等教育を受けさせたし、その他諸々の面倒もみてやった。そのうえで残した財産ぐらいは自由に処理しても文句はないだろうということだ。晩年を幸せにしてくれた女性、あるいは男性にすべてを与えるというのも筋の通る話ではないだろうか。

もちろん、それが身内であるに越したことはない。エジンバラからグラスゴーまで、母親の面倒をみるために毎週通っていた、私の家主の親孝行を見るまでもないだろう。

要は、老後の不安を解消する最もいい方法は、子供に面倒をみてもらえるという保証をつくることなのだ。そのために担保として遺言状があればいいのではないだろうか。老後の不安を国家にまかせる、というのでは自由主義が泣くのではないか。

不安の時代、不安の時代とよくいわれるが、以上みてきたように、戦後の日本人はなにかと不安に弱くなり、たいしたことでもないことを不安視して大騒ぎしているにすぎない。そしてそれをまた、マスコミがあおっているのである。

少なくとも今後は、今のような胸を締めつけられるような入試の心配や受験の不安はなくなる方向へ行くだろうし、中高年のリストラの不安は腹さえくくれば解消していく。そして老後は、個々人が子供たちに面倒をみてもらえるようになる相続の法律をつくることである。どうせ日本中の老人が国に面倒をみてもらう、などということになれば、ロクでもない結果になるのは見えていることなのだから。

3章

「順」に逆らえ、「やり方」を変えろ！

いくつになったら〝一丁前〟になれるのか

『論語』の中の有名な言葉に「子曰く、われ十有五にして学に志す。三十にして立つ。四十にして惑わず。五十にして天命を知る」というのがある。

　この中の「三十にして立つ」が、いわゆる自立のことなのだが、とりあえず順を追って現代流に解釈してみよう。

　まず「十有五にして学に志す」というのは、現代的に考えればなにも十五歳である必要はない。社会は孔子の時代よりもはるかに進化しているが、人間のほうはどちらかといえば進みが遅く、さほど早熟ではなくなっているから、十五歳から二十二歳ぐらいと幅を持たせて考えていい。

　まあ、だいたい十八歳ぐらいを中心にその前後ということだろう。大学に入学する前後から卒業するくらいまでの間ということになる。そして、「学を志す」といっても、みながみな、学者をめざさなければならないわけではない。要するに、この頃までに自分が何をやるのかを決めるべきということだ。

　そういう意味でいえば、本当に学を志すのならば、大学院を受験すればいいし、社会へ出て実業に就きたければ自分に合った会社選びに精を出せばいい。高級官僚になりたければ公務員試験をめざせばいいのである。

そして「三十にして立つ」となる。これは三十にして自立するということなのだが、簡単にいってしまえば、〝一丁前になる〟ということだろう。会社でも、三十歳前後までまじめにつとめていれば係長ぐらいにはなれる。大学なら、専任講師ぐらいにはなる。人によっては、世界的な業績を上げることも可能になる。

つまり、一丁前になるということは、上の者の指示だけに従って動くのではなく、自分の判断で物事を進められるようになるということだろう。三十歳ぐらいで、それなりの地位に就いていなさいということだ。

もう一つ重要なのは、〝自分の力で食える〟ということだろう。自立とは、文字通り自分の足で立つということだから、現代的にいえば、親に頼らずとも食っていけるようになるということになる。

しっかり自立できてこその「タイム・イズ・マネー」

自立であるとか自分の足で立つといったことが、人間にとって非常に重要だと考えられるようになったのは、実は十八世紀のイギリスからである。この頃、イギリスでは全社会的にこうした風潮が起こった。このことはとくに注目すべきである。

他のヨーロッパ諸国と同様、それまでのイギリス社会は、人口の大部分が農奴と徒弟とで占められていた。

農奴というのは、領主から貸与された土地を耕し、地代や税を領主に払って生活していた封建時代の農民のことだ。彼らは反抗さえしなければ生きていけたが、領主のために働かなければならず、そういう意味では自分の足で立って生活していたとはいえない。奴隷でもないが、本当の自由人でもなかったのである。

徒弟というのもだいたいが親方のところで修業し、そこで食わせてもらっていたから自立などはしていない。中世では、このような農奴と徒弟という自立していない人たちが人口の大部分を占めていたのである。

ところが産業革命によって、非常に大きな社会変動が起こってくる。

つまり、簡単にいえば、誰でも出世できる社会が出現した。土地にしばりつけられていた農民も、都市に出て働けばお金と地位を獲得できるようになったということである。

それまでは都市に出てきても出世は難しかった。いわゆる閨閥《けいばつ》社会、つまり、結婚によって生じる同族的なつながりがはびこり、どんなに能力のある人間でもその枠内でなければ出世できなかったのである。とくにヨーロッパにおいては、国と国との間でこの閨閥関係を結んでいることが多く、そのために能力本位の人材開発がしにくくなっていた。

それは、日本においても同じだった。近世までは若いうちから大坂に出て丁稚《でっち》奉公し、せいぜい手代か番頭になるというのが出世の見本のようなものだった。ところが、明治時代となるや、誰でもどこでも、努力しさえすれば出世が可能になっていったのである。

このように、十八世紀のイギリスを筆頭にして、ジワジワと、〝誰でも出世できる社会〟が先進諸国へと普及していく。

この風潮を象徴するのが、十九世紀のサミュエル・スマイルズの著書 *"Self-Help"* だろう。この書は、日本では『西国立志編』（『自助論』竹内均訳　三笠書房刊）として有名だが、要するに中身は、自力で自立した人たちの実生活を教訓として、人生で成功するにはどうすればいいのかを説いた書である。文字通り、自立のために自ら助ける本というわけだ。

アメリカではスマイルズよりも早く、あのベンジャミン・フランクリンが、それこそずばり当時の風潮をいい表わしたことわざを残している。有名な「タイム・イズ・マネー」である。

「時は金なり」と訳されて、時間はお金のように大切なものだという意味に使われるが、実はその根底には、働いた時間の分だけお金になるという時代背景が隠されている。それまでは奴隷はもちろんのこと、農奴でも、働いた分は決してお金にならなかった。フランクリンは、当時のものの考え方をずばりいいあてているのである。

かつて日本には住み込みのお手伝いさんや女中さんがいたが、彼女たちにしても、働いた分だけお金をもらうという人は少なかった。それでも住み込みだから食うには困らないし、嫁入り前の行儀作法を身につけられるから、というようなわけで働いていた。

くり返すが、農奴も徒弟も女中さんも、いくら働いても、たとえ夜中まで時間を費やそうとも、働いた時間がお金になることはなかった。「タイム・イズ・マネー」になるためには、労働上対等な立場になることが必要なのである。つまり自立してこそ「タイム・イズ・マネー」になり得るのである。

だから、フランクリンが時間をお金と考えたことは、それ自体たいへんな変化だった。彼は時代の風潮を敏感に読み取っていたということである。

働いた分だけお金になる自立した人間の時代は、フランクリン以来ずっと続いている。これは余談だが、実はそういう時代になったために、かつて住み込みで働いてくれたような人も、もはや雇われてはくれなくなったのである。

それはともかく、十八世紀以降、イギリスを中心にこのような「タイム・イズ・マネー」の時代へと徐々に変化していくのだが、十九世紀に入ると、稼いだお金が資本として蓄積されるようになる。社会学的な用語でいえば、原始資本の蓄積の時代だ。

ここに至って、「タイム・イズ・マネー」でどんどん稼ぐ人間と、そうでない人間との差が出てくる。稼ぐ人間は他の人のことなど考えずにやみくもに稼ぎまくったため、貧富の差が非常に大きくなり、それが大問題となった。そしてそんな時代に、貧富の差をなくしましょうと言い出したのがマルクスやエンゲルスだったのだ。

時代は下って二十世紀の後半になると、生産力が高まってくる。そうして、十九世紀においては食うのに困っていた労働者たちが、食うに困らなくなった。マルクス流にいえば労働者は「貧富の差」の「貧」の部分であるから、つまり、「貧」でも食うには困らない時代になったということだ。

このことは非常に大きな意味を持つ。というのは、普通に働いていれば食うに事欠かないのならば、貧富の差があってもかまわないではないか、という考え方が出てくるからだ。貧乏すれば食えずに死んでしまう人がいるというのならば問題だが、そうでないのなら、働く者と働かない者とでは貧富の差が出てくるのは当然だ、と思われるようになってきたのである。

こうして、儲ける者は圧倒的に儲けて大金持ちになり、働かない者には生活保障がついて比較的楽に暮らしていけるというような社会が出現したのである。その代表がアメリカである。一方で貧富の差はあってはならないと頑なに思い込んだ社会、つまり、旧ソ連を筆頭とする共産主義の国々ができた。そしてこの二極が二十世紀の末までずっと対立してきたのである。

そして八十年代末期、貧富の差をなくして何もかも平等にするという、一見理想的に思える考え方は単なる幻想であって、現実の歴史の流れに逆行するものだということが明白になり、共産主義国がつぎつぎに崩壊したのである。一部にまだその残骸が残っているものの、共産主義国のほとんどがソ連とともに崩壊してしまった。

このような歴史の大きな流れの中にあって、イギリスや日本というのは、どちらかといえば、その中間ぐらいに位置していたといえるだろう。イギリスでは労働党が政権を取ったりしているし、日本においては税制などのシステムが、どちらかといえば社会主義的発想でつくられている。稼いでいる「富」のほうから無理やり税金をふんだくって、とにかく金持ちはなくして貧富の差をなくそうという考え方だ。

このように貧富の差をなくしていいのかどうなのかわからず、中途半端なままで米ソの真ん中あたりをうろうろしているうちに、日本は気がついたらアメリカにいいように扱われていたという状態なのだ。徹底的に富を求める個人を認める社会であるアメリカの、いい餌食になっているのである。

〝セイフティー・ネット〟をあてにするようでは本末転倒

よって、日本の今後の問題として残されているのは、本当の意味での自立をするということだろう。つまり、アメリカがやったように「タイム・イズ・マネー」を徹底的に追求するということだ。

そして忘れてならないことは、この追求を国主導ではなく、あくまでも個人の問題としてとらえることだ。でなければ、本当の自立はできないだろう。

たとえば、貧しい人の生活保障にしても、最終的には国が面倒をみるというような甘さがあってはいけない。失敗して無一文になったら、そこから自らまた這い上がって儲けるという姿勢を個々人が持たなければ、「タイム・イズ・マネー」の意味がない。

政府が設定する社会保障の枠などというのは、単なるセイフティー・ネットでいいのである。これはサーカスで、空中ブランコをやっている団員が失敗して落ちても死なないようにと張る網のようなものだ。

空中ブランコの網は、高い位置には張られない。あまり高い位置に張っては、安全なのがみえみえで観客の面白みが半減する。スリルがなくなる。だから、落ちても死なないぐらいのギリギリ低いところにセイフティー・ネットは張られるのだ。そしてもしも失敗して落ちても、網からまたスルスルと上っていってブランコに乗れるあたりに。

今、社会保障のセイフティー・ネットはずいぶん高いところに張られているが、もっと低くしろという声が今後は出てくるだろう。なぜなら、空中ブランコと同じく、落ちた人が死なない程度にカバーしてくれれば十分だからだ。

セイフティー・ネットがあるのは確かにいいことだが、そこに甘え、頼るようになっては本末転倒である。セイフティー・ネットが設けてあるから、失敗を恐れず思い切って頑張ってみようというのが本来の姿である。しかし、そういうネットがあるのなら、最後まで面倒をみてもらえるんじゃないかという考えでは困るのだ。これでは自立の精神が起こってこない。

昔は、子供ができない夫婦は、養子をもらって育てたものだ。自分のことは自分で解決しなければならなかったからだ。家を残すことにしても、老後の面倒をみてもらうことにしても、みな自分でやっていかなければならなかった。周囲や社会に甘えている暇などなかったのである。残念なことに、今はみな、セイフティー・ネットに頼ろうとするようだ。

人間は一度頼ると、際限なく何かに頼るようになってしまうものである。だから、始めのうちは便利でいいのかもしれないが、しだいに、失敗を恐れず自分で何かを切り開き、開拓していこうという気概を失ってしまう。そして結局最後は、何でも人頼みになってしまう。自立の精神が欠如しているところに、大きな成功がないのは当然である。ソ連がそうだったではないか。

老いてからも同じである。セイフティー・ネットをあてにしないでもやっていけるくらいの手を打てるかどうか、あるいはそういう気構えがあるかどうかが大切になってくる。

日本もまた、「タイム・イズ・マネー」の社会の一員であることは間違いない。そして今後はもっと、貧富の差を認めるアメリカ型の社会になっていくだろう。そこにおいては、当然のことながら、食うに困れば何らかの保障がつくことになる。なぜなら、貧富の差を認める社会は、同時に貧者でも食っていける社会でなければならないからだ。

しかし忘れてならないことは、このような社会が成り立つ前提として、常に自立した人間がいるということだ。何かに頼り、誰かに食わしてもらうのは自立した人間とはいえない。たとえそれが社会保障であっても、である。

何ものにも頼らずに這い上がる精神、それが真の自立の精神であり、この精神のある人こそが自由な人間だと思う。「三十にして立つ」という孔子の言葉は、三十歳になる頃にはこのように自立した自由な人間になっていなければならない、ということを教えているのである。

なぜ今「逆順入仙」の精神が必要なのか

自立の精神を持って、三十歳から一所懸命にやっているとじきに四十歳になる。四十歳は初老という。初老というと何となく年寄りくさく感じるのだが、これはある意味では正しい。一般的には能力というものは、四十歳以降はもう伸びないと考えていいからだ。

世阿弥も、そのことを悟ったらしい。『花伝書』の中で、能の技能については四十歳以降は落ちるばかりだ、などといっている。

確かに、普通にやっているぶんには、体力も知力も気力も、四十歳を過ぎるとしだいしだいに落ちてくる。それまで簡単にできていたことが、なぜか思うようにいかなくなったり、物忘れしたりするようにもなる。つまり、四十歳というのは、ある意味では人生の頂点だと考えられる。

だから、三十歳で自立したなら、その後は、自己の高みをめざしてひたすら頑張らなければならない。体力、知力、気力の限りを尽くして、どんな問題が起ころうとも惑《まど》わない地点にまで自分を引き上げる。そしてこの境地を、論語は「不惑」といっているのである。

四十歳からは、普通のやり方に従えばどんどん年老いて、老人となっていく。その落ち方は、人によっては急速である。

だがしかし、そう簡単に老人になどなりたくない、老け込んでたまるかということで、初老以降も頑張ってひたすら修業を積んでいけば、仙人の境地にも入れる。仙人というのは大げさだが、普通の人以上の人間になれるということだ。

これをわかりやすくいえば、四十歳前後からは、落ちていく人とそうでない人との差が大きくなっていくということである。だからこそ、順に従って老いるだけなのではなく、順などには従わない、「逆順入仙」の精神が重要なのだ。

順に従わないためには、さまざまなことに対するやり方を変えていかなければならない。実際、体力も知力も気力も衰えていくことは確かなのだから、三十代の頃のようなわけにはいかない。

三十代ならば、ひたすら運動していればよかったかもしれないし、また、筋肉は鍛えれば鍛えるだけ強くなったかもしれない。だから、そういうことに重点を置いた練習やトレーニングでよかった。ハードに鍛えれば、体もそれについてきてくれたことだろう。

だが、初老を越えてからも同じ修業をしてはダメなのだ。今流行《はやり》の言い方をすれば、四十歳にもなると、活性酸素が出てもそれを抑えるＳＯＤ（スーパー・オキサイド・ディスムターゼ）の出が悪くなるために、体の疲れが元に戻りにくくなる。だから、鍛えるのは結構だが、やり方や考え方を変える必要がある。

たとえば、これまでは短時間にハードに動いていたが、代わりにゆったりしたペースで少し長い時間やるようにするとか、自分のコンディションを知ったうえでそれに合ったメニューにするとか。あるいはまた、もう大きく派手な動きができなくなる頃なのだから、技を主とした芸に変えてみる。

逆順入仙の道を選ぶのならば、息の長い修業が必要である。そしてそれを可能にするためには、自分自身の力を知ったうえで、日々の努力を重ねることが大切になってくるのである。

こうして心を入れかえて努力をする人と、逆順の道を選ばず、ただ順に従って年取ればいいと考えて日を送っている人とでは、その後の生き方にどんどん差が出てくる。

とかく若い頃は、学校の成績に差があればそれが人生の差だと考えがちである。あるいはまた、一流大学に入った人とそうでなかった人とでは、人間にそれだけの差があると考えたりもする。大企業と中小企業とでは、人生すべてに大きな差が出ると考えたりもするものだ。だが実際は、そのようなものは人生においての差でも何でもない。

四十歳くらいまでの人と人との差など、実は差とはいえないくらいのものだ。本当の差というのは、四十歳前後を過ぎて初めて出てくる。そして、ここからは人によってくっきり分かれる。不惑が人生のある意味での頂点で、ここから先、山を下ってしまう人と、もう一つ高いところへと縦走しようとする人とが出てくるのはこういうことである。

逆順入仙の道を選ばずに努力を欠いた人は、五十歳ぐらいになると、周囲から、お前はずいぶん年を取ったなといわれるようになってしまう。だから不惑からが人生の勝負どころと考えて、自分の芸を落とさない努力をすることが大切なのである。

この〝巻き返し〟術を学ばぬ手はない

もう一度おさらいすると、『論語』の現代的な意味は、三十歳前後に自立して、自分でメシが食えるようになり、それから十数年間一所懸命に頑張って、そこそこの実績を残せるくらいの人間となり、四十歳以降は逆順入仙の道を選んでまたまた努力を重ねていけば、会社員なら部長クラスくらいにはなれるだろうという感じであろう。

さて、いくら努力していても、また出世していても、五十歳くらいになると身の回りにさまざまなことが起こってくる。交通事故にあうかもしれないし、働きすぎで体を悪くしてしまうかもしれない。入院して働けなくなる場合もあるだろうし、一所懸命にやっていても会社が潰れてしまうことだってある。

こんな時は、どうしたらいいのだろうか。

つまずいた時には、じたばたせずに天命を知らなければならない。自分の力だけではどうにもならないもの、つまり天命ともいうべきものが自分の外にはある、ということを知る必要がある。そうでなければ、悪あがきをしてますます不幸に陥ることにもなりかねない。悪あがきとは、天命を知らず、それに逆らおうとすることだからである。

天命を知るということでいえば、前にも言及した本多静六先生の生き方に感心した覚えがある。

本多先生は、若い頃は非常に貧乏だったのだが、それにもめげずに勉強し、東京大学の初代の林学博士になった。と同時に、四十五歳ぐらいの時には今の新宿区（当時は淀橋区）で一番の高額納税者にもなっている。学者でありながら新宿区で一番の金持ちになったという点で、あらゆる面で成功した人ともいえるだろう。

ところがこの本多先生は、六十歳ぐらいになった時に、ある程度以上の金を持っていては人間がダメになると考え、老後の生活費をのぞいたお金を全額寄付してしまうのである。今の金にすれば、それこそ何十億にもなったと思うのだが、不動産も何も全部、惜し気もなく寄付してしまった。

残ったお金で、老後は安泰に生活し、読書などに親しもうと考えておられたらしいのだが、敗戦でそれがすべてフイになってしまった。老後のためにと買っておいた株券や証券などが、全部ダメになってしまったのだ。

とくに当時、満鉄と呼ばれていた南満州鉄道などは、日本の国そのものがなくなりでもしない限り、潰れないといわれていた。それがあっという間に潰れ、株券は紙クズ同然になってしまった。当時、満鉄が潰れて大損し、それこそ全く無一文になった人は大勢いる。また横浜正金《しょうきん》銀行（戦後の東京銀行）の株も、海外資産の喪失とともに価値がなくなった。

にもかかわらず、この時の本多先生の態度が実に立派なのである。

こういう個人の力ではいかんともしがたいことが人生には起こる、個人の努力では計り知れないことがある、そしてそれが天命というものだ、というようなことを先生はおっしゃるのだ。そしてまたまた頑張って、八十五歳という高齢になった時には、また寄付しなければならないくらいのお金ができてしまったというのである。

この先生の偉いところは、ダメな時はダメだと悟り、すっぱりあきらめるその態度にある。しかも普通なら自暴自棄になるところを、あっさりと再び努力し始める。

本多先生は、新宿一ともいえる大富豪になったにもかかわらず、富の限界を悟って寄付した方だ。子供たちもみな優秀で、娘の嫁入り先も心配がないから、別に助けてやる必要もない。自分たち老夫婦だけの分を残して寄付したのに、それが国が潰れると同時に全部なくなってしまう。そのショックたるや、普通なら筆舌に尽くせないところだろう。悔しさ、もったいなかったという悔い、無念さ……などなど、次から次に湧き上がってきて、ああすればよかったこうすればよかった、ああせねば、こうせねばと、夜も寝られないほどなのが普通だろう。

それを先生は、個人の力を超えた事情のためにダメになることもある、それが天命だ、散る花は追うなということで、きっぱりあきらめた。そして、出る月を待つのである。そういう人生のほうが有意義であり、また楽しいだろうということだ。すばらしいではないか。

だから、三十代で頑張り、四十歳以降は逆順入仙の道を選んで進み、五十歳となって本来ならしかるべき地位や成功が得られるはずのところが、どういう都合かうまくいかなかったとしても、それはそれであきらめるという態度が必要だ。そしてじたばたせずに無欲な姿勢で物事に取り組む。そうすれば、再び秋のいい月を見ることができるかもしれないという。

孔子もまた、成功したとしても、威張らず、驕《おご》らず、成功は自分の力だけで得られたものではない、それも天命であると感謝する気持ちが大切だといっているのだ。

〝思案のしどころ〟をどう切り抜けるか

最近ちょっと気になっているのは、リストラが騒がれているせいか、定年前に会社を辞めて新しい商売をやるというような風潮があることだ。その傾向は四十歳を越えたあたりから起こるらしく、レコード会社の営業マンが定年五年前に会社を辞めて全く畑違いの焼き鳥屋をやっているとかいった話が、時々雑誌に登場したりしている。

転身して成功した人は確かにいるだろうし、そのこと自体は勇気ある行動だと思う。けれども、すべからくうまくいくかというと、そんなことはなく、逆に非常に難しいことなのではないかと思う。

これは、作家で金儲けの神様ともいわれる経済評論家の邱永漢さんもいっていたと思うが、本来、四十歳以降は、新しい仕事は始めないほうがいい。もちろん伊能忠敬のような例外もなくはない。彼は潰れかけた家を再興し、五十歳を過ぎてから、やりたくてたまらなかった日本地図の作成を始めて成功させるのだから、これは例外中の例外といえる。

しかし一般的には、四十歳を過ぎれば気力も体力も落ちてくるから、新しい仕事で苦労するのには若干無理が生じる。だから、本当なら止めたほうがいいのである。ここが思案のしどころなのだ。だが、それでも転身したいというのならどうするか。

サラリーマンなら、それまでやってきた仕事の範囲内、あるいは似たような仕事の中で転職し、給料が下がってもやっていくというのがおそらく正道なのだろう。もちろん、独立して新しい事業を起こすための人脈を、あらかじめきちんとつくって実践していくというのなら、独立もいいだろう。また、四十歳あたりから再び勉強して、司法試験に通るというようなこともあるかもしれない。

けれどもやはり、それまで何十年とやってきた仕事の蓄積というのは大きい。みなそれぞれの分野でそれ相応の仕事の蓄積を持っていると思う。だから本来は、定年後の仕事もこの延長線上で考えたほうがスムーズに運ぶし、失敗も少ないのだ。いくらリストラされるのが嫌だといっても、またサラリーマン時代が不遇だったといっても、全く違う職業へポンと換わってしまうのは非常に危険なことだと思う。

このようなわけで、一般論としては、やはり邱永漢さんのいうことが正しいと思う。また長生きの秘訣としても、事業に失敗しないに越したことはないのである。

4章

頭《トップ》に立つ人には
この〝凄み〟がある！

結局、「情」と「理」では勝負にならない

人間の魅力とは、いったい何だろうか。

よく、上司やリーダーをほめる時、あの人は親分肌の人だということがある。そして日本の場合はとくに、親分肌の人が好かれる傾向がある。理論派の切れ者よりも、何となく人間くさくて、部下の面倒みのいい上司が好かれるのも、そこに親分的なものを見ているからだろう。

では、親分肌とはいったいどのようなものなのだろうか。

親分といわれる人は、簡単にいえば理よりも情を重んじる。過去、日本にはこの手のリーダーがいろいろいたが、その中でも、八幡太郎義家といわれた源義家などはその典型だろう。ひょっとすると義家は日本における親分の元祖と呼んでもいいかもしれない。

後三年の役の時の出来事だ。この時義家は、出羽の清原氏一族の争いを苦戦の末に平定したのだが、朝廷はこれを単なる私闘にすぎないとして、義家の部下への恩賞を拒んだ。こういうケチなことをやっているから、その後、朝廷は政治の実権を失い、武家政治になってしまうのだが、それはさておき、この時義家は自分の私財をなげうって部下の将士た

ちに褒美を与え、その労をねぎらったといわれている。

そしてこれ以来、東国の武士たちは義家に感謝し、その徳を深く感じて、みな義家のもとに従うようになるのである。東国における源氏の基礎は、このようにして固まっていったのだ。また武士たちだけでなく、諸国の百姓で田畑を義家に寄進する者も多く現われ、義家は絶大な信頼を集めるようになっていく。自分の私財を割いてでも労に報いるという人間の情が、人々を引きつけたのだ。

実はこの時、源氏側がまとまるのにもう一つ別の〝情〟も作用していた。それは、義家の弟の新羅三郎義光のとった行為だった。

義光は当時、京都の朝廷警護の任にあたっていた。義家が奥羽で苦戦していることを聞き、彼は救援に赴くことを朝廷に請うのだが、頑として許されなかった。そこで義光は、朝廷の許しを得ずして兄の救援に駆けつけたため、解官されてしまうのだ。兄のために、やむにやまれず官をなげうってという〝情〟の部分が、東国の武士たちの心を打った。これならば、と、みな源氏に信服するようになったのだろう。

義家と義光の行為はいずれも、正しいかどうかとか、どうするべきなのかというような理屈で割り切れるようなものではない。ただ単に、自分の部下のため、血を分けた兄のため、という人間的な情の要素に根ざした行為で、善し悪しや損得を全く抜きにしている。

この理では計り得ない部分が人を引きつけていくのである。

とくに義家は私財をもなげうっているわけだから、ある意味では非常に気前がいい。そしてこの気前のよさもリーダーには必要なのだ。惜し気もなく身銭を切って与えれば、部下は喜んでついてくるのである。

以上のように、情を重んじ、気前よく身銭を切るというのが、親分的リーダーの典型だと思うのである。

善悪は二の次、〝見返り〟をしっかり持たせる

親分的リーダーにとってもう一つ重要と思われる要素として、自分の家来や部下の行為の善悪は問わないということがある。

官僚制度は典型的な善悪を問う制度である。汚職や女性問題が発覚すると、まず出世させてもらえない。しかし官僚の善悪は問われなければならないのが当然で、問われなくってはいけない。官僚に親分的な要素はあまり必要ないだろうし、また、親分のようになられても困るのだ。

しかし親分や子分が成り立つ世界では、情がすべてに優先するから、いちいち善悪を問

うていては物事が進まなくなる。最も極端でわかりやすい例は、ヤクザの世界だろう。

青木雄二の『ナニワ金融道』という漫画で面白いと思ったシーンがある。

棒太郎という若いヤクザ者が出てくるのだが、こいつがヤクザを辞めたいと親分にいう。ヤクザの世界は、退職願いを出してすぐ辞められるような世界ではない。仁義を欠くことになるわけだから、この場合にも指を詰めなければならない。しかし、指を詰めてしまうと、ヤクザであったことが一目でわかり、堅気の仕事ができなくなる。だから棒太郎は、それだけは勘弁してくれと頼み込むのである。

するとと親分も、それだけは勘弁してやろうと納得してくれる。けれどもそのかわりに、犬の糞か何かがついた靴を舐めろというのだ。それをやれたら縁を切ってやろうというのである。指を詰めることよりは数段楽かもしれないが、それにしてもそう簡単にできることではない。しかし棒太郎はやむを得ず、我慢に我慢を重ねながら、とうとう、その汚い靴を舐めるのである。

すると親分は、よくぞ舐めた、よくそこまで決心したということで、百万円をポンと、出すのである。新たな仕事に就くにあたっての仕度金代わりということなのだろうが、私がいいたいのはつまり、そういうところがないと親分というのはダメだということだ。

ただ無理難題を押しつけて、靴を舐めさせるだけでは、部下はついてこない。無理難題はいっても、それを聞き入れれば気前よくポンと百万円でも二百万円でも出す。こういうところがあればこそ、偉い親分として一目も二目も置かれるのである。

つまり、一つには、汚らしい靴を舐めさせるのが善なのか悪なのかなどを問うてはいけないということ。そのようなことには関係なく、悪かろうが何だろうが、自分の情としてこうだと思うことは迷わずやってしまうということ。しかし、肝心なところでは気前のよさを出す。それが親分なのだと思う。

ヤクザの世界という、ちょっと極端な例を引いたけれども、それは、この世界にこそリーダーの性格が最も端的で明確に表われていると思うからだ。もちろん、堅気の世界の一つの組織のリーダーたる者、ヤクザの親分のような、指を詰めろの靴を舐めろのといった無理な要求を部下にしてはならないだろう。

けれども、実際に魅力的なリーダーといわれている人は、多かれ少なかれ、程度の差はあるにせよ、部下に無理難題を強いて、わりと平気な顔をしているものなのだ。そして、ヤクザの親分と同じように、自分の要求がかなえられると見返りはきっちりとやっている。部下たちにしても、リーダーがよくやったと太っ腹を見せてくれるからこそ、安心して、厳しくとも次の仕事へと従っていけるのである。

よく「小言はいうべし、酒は買うべし」というが、ああだこうだと小言ばかりいっていては誰もいうことを聞いてくれない。小言をいったあとは、酒も買ってやるくらいの度量の広さがなければならないのだ。無理を押しつけたら、甘い汁もちゃんと吸わしてやる――そうでなければ、リーダーはつとまらないのである。

身銭を切らなければ「面子《めんつ》」は立たない

ただ〝酒を買う〞場合には、注意しなければならないことがある。それは、あくまでも身銭を切らなければ意味がないということだ。ここを間違えると、とんでもない不幸を招きかねない。

いくら気前よく部下に振る舞っても、領収書をもらって経費で落としているようでは、身銭を切っていることにはならない。部下たちは、そういうところはしっかり見ている。よく、自腹も切れないくせに、役職のおかげでちやほやされるため、自分には人を引きつける力があるなどと勘違いしてしまっている人がいる。こういう人は、会社を辞めて新しいことを始めたりした時、誰もついて来てくれないと知って初めて愕然《がくぜん》とするのだ。

この意味では、中小企業の社長などには、いわゆる親分肌が多いのかもしれない。というより、そうならざるを得ないのだろう。

たとえば、従業員の奥さんが病気になって入院したりすれば、すぐさま駆けつけて、見舞金として金一封を出したりする。会社にお金がないことぐらい従業員はみな知っているから、この金一封は社長個人のお金だということがすぐにわかる。それを気前よくポンと渡す。これが大切なのである。

何度もいうように、そこに理屈が入ってはダメなのだ。

香典を包むのに、従業員の親戚だからいくらだの、カミさんのほうの親御さんだからいくらだの、高くしなければいけないとか、もっと低くてしかるべきだなどといったことを考えているようでは親分はつとまらない。あいつのためだからここは理屈抜きで、という情の部分での判断が要るのだ。

旅館の女将《おかみ》なども、親分肌だとうまくいくのではないかと思う。地方から来ている仲居さんの痛みがわかり、いざとなったら本当にお金を出してやるというくらいの勇み肌タイプの人がうまくいくのではないだろうか。

温情と気前と、部下が危なくなったら善悪を問わず助ける。この三つが魅力的リーダーの必須要素なのである。

以上はだいだい、部下に対しての必須要素だが、その他、他の親分衆に対しての姿勢というのも重要になってくる。

それは、トップ同士の論理の中でフェアプレーができるということだ。つまり約束はきっちり守るとか、汚ない行為はやらない、あるいは臆病であってはならないというようなことだ。

これは要するに、リーダーの間では面子を守るということである。これが、他のリーダー衆とも対等に渡り合っていくうえでの必須条件なのだ。また面子が守れないようでは、いかに大きなことをいっていても部下からも見放されてしまう。

義家もちゃんと面子を守っていた。武士たる者が約束を破ったり、裏切ったり、臆病だったりしては始まらないからだ。発生期の武士にこれは顕著だった。武士といっても、戦国時代ともなると処世術も必要になってきて裏切り行為も出てくるし、徳川時代の武士などは、ある意味では官僚と同じようなところがあり、参考にならない。

発生期の武士たちの〝一所懸命さ〟の中にこそ親分的リーダーの原型がある。彼らは自分たちの土地を命を賭けて守ろうとする。だから、〝一所懸命〟なのだ。そのスケールの小さくなったのがヤクザで、彼らも、自分たちの〝島〟を必死になって、それこそ一所懸命になって守ろうとする。島を守るということは、最終的には面子を守るということにつながるのだ。

韓信《かんしん》は「股をくぐった」から武将止まりだった

「面子を守る」という考え方は、なにも日本だけのものではない。西欧においては、封建時代の領主などはみな親分のようなものだった。だから、きちんと面子は守ろうとする。マフィアにしてもそうだろう。

ただ、たぶん東洋のほうがその表われ方が明確であり、また親分肌の人材も豊富だったのではないかと思う。

漢の高祖など、どこが偉いのかわからないような人物であるにもかかわらず、親分肌だったために家来がついていっている。高祖は中流農家の末っ子で、百姓が嫌いで遊びほうけていたような人物だ。この時の仲間が、高祖がまだ劉邦《りゅうほう》といわれていた時分にすでに彼に従い、ついには秦を滅ぼして漢を興すのだから、たいした親分肌だったのだと思う。

高祖を見ていると、リーダーというのは、最終的なところでは筋を通さなければならないというのがよくわかる。そして決定的な場面において面子を守るから、人がついていくということもわかる。

「韓信の股くぐり」という有名な話がある。前漢初期の武将の韓信が、若い頃に屠殺に従事する無頼の若者の股の下をくぐらされるという屈辱を味わいながらも、それに耐え、後年大成したというものだ。

　韓信は偉い武将になるという大望を抱いていたからこそ股くぐりもできたということで、ここから、大志を抱く者は目の前の小さな恥辱などには耐えなければならないということわざとして用いられる。要するにこの話は一般的には美談なのである。

　ところが、幸田露伴がこれに疑問をはさんだ。韓信は股をくぐったけれども、高祖がその立場にあったら果たしてくぐっていたかどうか――というわけだ。そして露伴は、高祖ならくぐらなかっただろうというのである。高祖は漢を興した本当のトップであり、一方、韓信は偉い武将にはなったもののそれ止まりで、結局高祖の家来にすぎない。本当にトップに立つ人間は、このような恥辱には耐え得ないはずである。だから高祖は人の股はくぐれはしないというのである。

　露伴によれば、本当にトップに立てる者とそうでない者との根本的な違いはここにあるという。だからこの話は美談でも何でもなく、世の中には高祖のような器量もないくせに股をくぐるのを嫌がる者がいるが、そういう者は自滅し、器量がなくてもそこで我慢して股をくぐれるようなら、そこそこの武将ぐらいにはなれる――それくらいの意味でしかないというわけだ。

露伴がいいたいのは、トップになれるような人物は、そこまで卑屈にはなれないだろうということだ。逆にいえば、頑としてぐらないという姿勢がトップリーダーには必要なのだ。たとえ死しても卑屈にはなるまいという、徹底した筋の通し方ができなければ本当のトップにはなれない。だから、くぐった韓信は命だけはとりとめても、武将止まりだったのである。

頼朝が源氏の統領になれた大きな理由

これはある意味では、源頼朝が窮地に陥りながらも最後まで剃髪《ていはつ》しなかったことと通じるところがあると思う。頼朝は、最後まで源氏の統領としての筋を通している。これが源氏の武士たちにとっては、なんとも頼もしく映ったのだ。

もし頼朝が、韓信の股くぐりのように、危ない時には髷《まげ》を落として仏門に入り、安全になるとまた髷を伸ばすなどということをやっていたら、源氏のトップとしてかつがれていたかどうかはわからない。義経のほうが戦争はうまいし、絵になる男だったようだから、ひょっとすると義経に味方する者が大勢出たかもしれない。

それが、鎌倉にただすわっているだけの頼朝のもとに武士たちが集まった。やはり、最終的なところでは筋を通すという頼朝の姿勢が、なんとも統領らしく、頼もしく思えたからに違いない。武士たちはそこに、何ものにも屈しない頼朝の自尊心を見たのだろう。「俺はそのようなことは決してしない」という強い自尊心、死をも恐れない強烈なセルフ・リスペクト（self respect）が、漢の高祖にも、頼朝にもあったのだ。そしてこれを持てる者が、本当の意味でのリーダーとなっていくのである。

このセルフ・リスペクトこそが、人間の器量ということなのだと思う。だから、自分はそんなに偉くなりそうもないと思うのなら、韓信のごとく股をくぐればいいし、高祖や頼朝にもなれると思うのなら、くぐってはいけない。ただその場合、くぐらないことは死をも意味することを忘れてはならないだろう。

とはいえ間違えないでほしいのだが、自尊心を貫くことはやみくもに命を投げ捨てることではない。辱《はずかし》めに対しては絶対に服従しない一方で、引く時には、一点の曇りもなく引かなければならない。無駄死にはダメなのだ。

そして引く時は、それこそ部下全員が納得できるような形でなければならない。うちの親分もたいしたことない、などと思われたら致命傷になる。同様に妥協するにしても、全員を納得させるような妥協が求められる。

源氏に対しての平氏の引き際がまさにそうだった。平清盛はたいへんな親分肌の人で、一族を非常に大切にした。平家に謀反者がいなかったのも、親分清盛が一族全員をよくまとめていたからだ。だから清盛の死後、源氏に負けて落ちのびていく時にも、みなが納得して落ちていくし、その滅び方も美しいのだと思う。

いずれにしても、部下から見て、自分たちには到底できない芸当だと思わせることができなければ、魅力的なリーダーにはなれない。それが身銭を切ることでもあり、気前がいいことでもあり、また、筋を通すことでもあるのだと思う。これらを兼ね備えてこそ、大親分となれるのである。

この〝凄み〟がなければ人は大きくなれない

気前がよくて、部下を大切にするという点でも、また情を大切にするという点でも、現代の親分型リーダーの典型はやはり田中角栄だろう。だが、この人の特徴は、実は外見からは判断できないところにあった。

親分肌の政治家といえば、誰しも田中角栄を思い描いてしまうように、彼には確かに何でも「よっしゃ」と引き受けてしまうという印象があったかもしれない。それにだけ注目していると、角栄は気前のいい、お人好しの親分という感じである。

だが、この人は他の政治家たちからは、最も怖がられていたほど凄みのある人でもあった。そして、この〝凄み〟というのも、トップリーダーには必要な資質なのだ。部下や周囲を大切にするが、本当に怒らせると、とてつもなく怖い存在となる――それが本当の親分なのである。

小物の代議士ならいざ知らず、元通産大臣の渡部恒三氏も実感をまじえながら、「田中先生は、本当に怖かった」といっているくらいだから、相当怖い存在だったのだろう。そしてこの怖さは、普通の意味での怖さではなかった。渡部氏によれば、角栄が本当に怒ると、怒らせた代議士の地盤の選挙区に、必ず別の人間を立ててきたのだという。

代議士にとってこれほどの脅威はない。怖いというと、まず怒鳴り散らしたり、罵倒《ばとう》することだと思いがちだが、角栄の凄みはそのような外面的な、ある意味でなまやさしいものではなかった。代議士を心底震撼《しんかん》させるような行動に出るのである。代議士は落選してしまえば、ただの人、いや、それ以下だ。だから、自分の地盤は必死になって守ろうとする。ここを荒らされることは、死ねといわれているに等しかった。

そのことを十分に知っていながら、角栄は別の人間を対抗馬として立てるのである。そして、その候補者の応援に自ら駆けつけたりする。当時、絶大なる人気を誇った角栄の後ろ盾を持つ候補者が出ると、それまでどんなに地元に地盤があった候補者でも、その地盤はガラガラと崩れ、落選の浮き目にあう恐れがあった。

代議士たちにとって、これほど恐ろしいことはなかった。渡部恒三氏をして「怖い」といわしめた理由がわかろうというものだ。

そして、この怖さがあるからこそ、この脅しがあるからこそ、気前のよさが効いてくるのである。脅しがなければ、ただのお人好しにすぎなくなってしまう。

実は、角栄のような怖さは、源義家も、頼朝も、また織田信長も持っていた。織田信長は、草履取りに何十万石もやるわ、明智光秀のような浪人者を大名にするわで、非常に気前がいい。反面、その怖さは全大名、全将士に知れ渡るほどだった。だからこそ、トップにもなれたし、軍団も組めたのだ。

田中角栄に田中軍団ができたのも、これと同じ理由による。怒らせると、本当にその代議士を木から落としてしまったのだ。木から落ちた猿ならいざ知らず、落選した代議士など、もう誰も見向きもしない存在になるからみな必死で落ちまいとする。

そういった怖がられる政治家が、今はいなくなってしまった。みながみな、優等生なのである。親分肌の政治家というのは、決して優等生ではないから、端から見ていると非常に人間的で面白い。時々ひんしゅくを買うけれども、これがまた人間的なために揺るぎない人気を得てしまったりするのだ。田中角栄以来、そういう人物が出てこないのは残念である。

ヒトラーと信長の大いなる共通点

では、どうしたら太っ腹の親分的リーダーになれるのだろうか。

残念ながら今のところ、その方法は見つかっていない。教育でリーダーが育てられるかというと、どうもそうではないようだ。生まれついての資質によるところが大きいからである。

第一次大戦後の話だが、ドイツの参謀本部が第一次大戦の作戦を全部チェックした。そうして出た結論は、参謀本部が立てた作戦で、間違っていたものは一つもなく、作戦がうまくいかなかったのは、司令官がその作戦をうまく使えなかったからというものだった。

そして、ドイツ軍はよい参謀将校をつくる教育方法を編み出すのには成功したけれども、よいリーダーをつくる方法はまだ見つけていない、と総長のゼークト大将はいっている。

はからずもこの分析は当たってしまった。まもなく、教育も何もないヒトラーが出てきてドイツを支配してしまったからだ。

ヒトラーが部下たちを信服させることができた理由の一つに、徹底的に怖いということがあった。気に食わなければ、その場ですぐさま死刑にしたわけだから、これは恐ろしい。ヒトラーについてはこの部分だけがクローズアップされていて、この一点で部下を牛耳ったと思われがちだが、実はそれだけではなくて、非常に気前のいいところもあった。

そのことは、高級軍人を元帥にしていたことにも表われている。日本の場合も同じだが、ドイツにおける元帥は非常に偉い存在だ。大将の上の位である。ところがヒトラーは意外にも、この元帥をたくさんつくっているのである。

元帥は、軍隊のトップリーダーであり、これになることは軍人として最高の名誉で、ありがたいことだった。だから多くの高級将校がヒトラーに信服してしまった。たとえていえば、信長が足軽を大名に取り立てるようなものである。

このように気前のいいことをやりながら、しかし、いうことを聞かなければ、いくら元帥や大将だといえども、容赦せずすぐさま追放した。「撤退するな」という命令があれば、いかなる戦術的な理由があろうとも、それは許されなかった。違反すれば、それこそ身ぐるみはぐような感じで追放したのだ。

ドイツ軍がロシアに攻め込んだ時などがいい例だ。冬のものすごい寒さで、どう考えても撤退したほうがいいような状況になった。それである将軍がやむなく退いてしまった。ヒトラーはこれを見てすぐさま、この将軍のすべての権利を剥奪して追放した。命令違反は、どんな理由があっても許されないと知って、全ドイツ軍のトップリーダーたちは震撼したという。ドイツ軍がナポレオンのロシア遠征のように簡単に敗走しなかったのは、このヒトラーの厳しさによるものだとされている。

ヒトラーはすべてこういう方法で部下たちを押さえつけていった。だから、このやり方でうまくいっているうちは大丈夫だったが、一つダメになると全部がダメになってしまったのである。

気前が良くて、怖い存在という点だけで見れば、親分肌といえなくもないのに、彼が本物のリーダーになれなかったのは、やはり人間を把握したのではなくて、抑圧したからだろう。

ヒトラーがかろうじて受けた教育は、絵を少し描くことだった。これでは、人間を知るための素養が全くなかったといっていいだろう。強圧と気前だけが、唯一彼が知る人をまとめる方法だったのだろう。

にもかかわらず、こういう人物が、一時的にせよ全ドイツのリーダーとなって君臨したことは事実なのだ。この事実を見ても、ドイツ参謀本部がリーダーをつくる方法はない、と指摘した理由がわかろうというものだ。

一口にリーダーといっても、組織や社会の形態によって違ってくる。こちらの社会で成功したリーダーが、また違った組織で通用するとは限らない。資質の問題もあるだろうし、また、時代の要請もある。

こういったさまざまな要素が作用するため、これこそが典型的なリーダーだという姿を提示するのは難しいのである。ドイツ参謀本部のいうことはある意味では正しいのだ。

だがしかし、こと親分肌のリーダーということになると、実は非常に身近なところにそのサンプルを見ることができる。怖くて、気前がよくて、庇《かば》ってくれ、それよりも何よりも、理屈もいうが情を優先してくれる人——それは、何を隠そう親そのものではないだろうか。親父のことをいっているのである。それも昔の、いわゆるカミナリ親父といわれていた頃の親父のことだ。

最近の親父は怖くも何ともなくなっているから、あまり参考にはならないかもしれない。だが、昔の親父は、子供にとっては尊敬する親分のようなものだったのだ。

親分肌のリーダーをめざそうというのなら、まずはかつての親父を参考にして、その子供に対する処し方で、部下に接してみたらいいかもしれない。

5章

「運がついている人」の生き方を真似ろ！

「時運」をつかみ、時流を逆転させる人

どの世界であれ、リーダーあるいはトップとして人の上に立つ者には、それなりの器が備わっているものだ。たとえば、よく、知将、猛将、あるいは名将などというが、それは、その大将の人間としての器が十分に発揮され、またその特色が他人の目にも明らかだから、そのように名づけられるのである。

ではまず、知将とはどのような人物をいうのだろうか。

知将とは一般的には、戦術的に優れている人、知略を駆使する人のことをさす。ただ普通の場合、どれほど戦術に優れていても、それだけではトップに立つことはできない。戦術を練るだけでは参謀だからである。しかしまれに、戦術に優れながら現場の総司令官もこなす人がいる。これが知将である。

知将といわれてすぐさま思いつくのは、楠木正成や真田幸村で、彼らの戦いぶりはまさしく知将にふさわしい。

まず楠木正成だ。後醍醐天皇が笠置《かさぎ》山に入って鎌倉幕府討伐の兵を募った時、これに応じて挙兵したのが赤坂城の楠木正成だった。だが、圧倒的多数の幕府軍に攻めたてられて

笠置山は落ち、その大軍が赤坂城に押し寄せてきた。この時正成は、奇計、奇略の限りを尽くして幕府軍に抵抗する。

まず正成は前もって塀を二重につくり、外側の塀を縄で吊っておいた。そして、外側の塀に幕兵がとりつくや、縄を切り、倒壊した塀の下じきになった幕府軍の上に大石や大木を落として圧死させる。

石つぶてをはねのけようと楯を持って攻撃してきた軍兵に対しては、長柄のひしゃくで熱湯をかけるという奇手をも編み出している。そして城が落ちる時には、戦死者の死体を焼いて、自らも自殺したように見せかけて逃亡している。

そしてさらに山奥の千早城にたてこもると、ここでの攻防戦においては有名な「藁《わら》人形」作戦を考え出している。兵糧攻めと長期包囲作戦にうんざりして退屈してきた味方の士気を高めるために、一策講じて敵を挑発する作戦である。

まず、藁でつくった人形に甲冑を着せ、夜のうちに城のふもとに立てかけておく。そして夜明けとともにどっと鬨《とき》の声をあげる。すると驚いた敵はすわ決戦とばかりに攻めかかってくる。だが、楠木軍と思われたのは藁人形で、気づいた時にはすでに遅く、大石を落とされて死者多数という具合なのであった。

このように楠木正成という人は、実はいろいろな工夫をし、その知謀奇略によって鎌倉方を翻弄した。戦いというものをよく知っているのである。とくに頭がいいと思われるのは、大軍の幕府軍とまともに戦おうとしなかった点だろう。自軍は少人数で、平地で戦ったのでは勝負にならない。だから終始、山の奥にいてゲリラ戦を繰り返しているのである。

幕府軍が千早城を攻めあぐんでいるうちに、北条幕府の権威は下り続けた。後醍醐天皇が隠岐《おき》を脱出し、各地の武士がしだいに反幕府に流れ始めた。そして、幕府軍として入京していた足利尊氏が幕府に反旗をひるがえして六波羅探題を急襲し、さらにまた、新田義貞が鎌倉に攻め入り、ついに鎌倉幕府は滅んでしまうのである。

こうして後醍醐天皇の建武中興は樹立された。だから、楠木正成がその知略のすべてを傾けて千早城を死守した意義は、きわめて大きいといわなければならない。

戦術的なところで際立って優れ、その作戦を指導して成功に導いた大将が楠木正成だったのだ。まさしく、時運を的確につかみ、時代の流れを逆転させた人といえるであろう。知将といわれるゆえんはここにあるのである。

矢継ぎ早に知略奇計の限りを尽くす

もう一人の知将は真田幸村だろう。幸村が知将として諸将の記憶にとどめられるようになったのは、関ヶ原の合戦に赴こうとする徳川秀忠の軍勢を、父昌幸とともに信州上田城に釘づけにした時の戦いぶりによる。秀忠はこのため結局、天下分け目の決戦に間に合わなくなるのだが、その時の幸村の指揮ぶりは徳川方諸将にも鳴り響くものだった。

その後、幸村を名実ともに知将と謳わせたのは、大坂冬の陣における真田丸の構築だった。

幸村は、籠城するにあたって、大坂城の弱点である南平野口の外堀のさらに外側に出丸を築いてそこを守ることにした。この出丸が真田丸である。真田丸にこもる真田兵の鉄砲射撃は実に正確で、これによって東軍はことごとく撃退されてしまったのである。

真田丸で東軍が二千人死ぬと、京都あたりの噂では二万人にふくれあがる。このままでは東軍敗北のデマにもなりかねず、家康は困った。それで和平工作をしたのだ。

幸村は、他にも次から次へと敵を驚かすような戦術を立て、戦闘指揮官としては卓越した腕前を見せている。こういう人が知将なのである。

豊臣秀吉も徳川家康も相当な知恵者だったけれども、彼らを知将という人はいないではないかというかもしれない。それは、彼らが戦術的な面だけではなく、もっと広い戦略的な面でも優れていたからなのではないかと思う。

正成も幸村も、知略奇計の限りを尽くして戦ったという意味においてはまさしく知将といえるだろう。しかし、もっと広いレベル、つまり全国統一や外交といったレベルにおいては、奇計を弄するだけでは物事が進まない。そこには外交や戦略的要素が入ってくるからだ。だから、戦場においてだけではなく、外交戦略、政治戦略的なことまでしっかりやる人は、知将とはちょっとニュアンスが異なるのである。

生半可な知恵よりは、はるかにものをいう「勇猛心」

知将と対比して使われるのが、勇将や猛将である。これはまさに文字通り、勝つか負けるかの時、とくに、どうも勝てそうにない時や負けそうな時に、勇を奮って〝えい、やってしまえ〟と断固やれる人のことだ。

そのいい例は、日露戦争の時の第一軍の司令官・黒木為楨《ためもと》だろう。この人は当時も勇将の誉れ高い人で、知恵ももちろんあったが、とにかく進めや進めで有名だった。朝鮮半島から上陸してまたたく間に韓国を制圧し、さらに満州でも猛進を続け、ロシアの将軍クロパートキンを混乱させた。

主力は奥保鞏《おくやすかた》の第二軍と野津道貫《のづみちつら》の第四軍で、こちらは実際上は負けそうになった。にもかかわらず、黒木の第一軍だけはどんどん進軍している。またこの部下たちがすごく勇猛で、第二師団などは、世界史上初めて師団単位での夜襲を敢行して、敵の防備する山頂の制圧などをやってのける。このために、日本は遼陽の会戦に勝てたのである。

こういう事実を見るにつけ、日露戦争当時は、師団長ぐらいになると、勇将、猛将と呼ばれるにふさわしい人がいっぱいいたことがわかる。

彼らの特徴は、攻めるべきと考えたら、迷わず断固攻めることにある。作戦上まずいのではないかとか、今撃つべきかなどと、グズグズ考えたりはしない。自分の使命感に従って〝えい、やっ〟と突き進む。だからたぶん、失敗したら損害も大きいだろう。けれどもその勇猛果敢さが、不利な戦局を打開することが多く、結果、常人では信じられないくらいの戦果を得ることも可能になる。

そういう意味でいえば、イギリスのネルソン提督なども典型的な猛将だろう。デンマークの砲台を攻撃した時、ちょっと常人では考えられないような勇猛さを示している。

普通、砲台と艦船との戦いにおいては、圧倒的に砲台のほうが有利だ。映画『ナバロンの要塞』を観た方ならすぐに納得できると思うが、要塞に砲台をかまえられると、艦隊は手の打ちようがなくなる。航行するや否や狙い撃ちされるからだ。しかも、砲台は要塞に守られて堅固だが、艦船は沈められればそれでおしまいである。

海からの攻撃では勝ち目がないからこそ、映画では要塞の内部へ潜入する破壊工作が企てられる。映画の舞台は第二次大戦中の地中海だが、砲台対艦船では砲台が有利なことは、ネルソン、ナポレオンの時代も変わらない。そういう不利な状況下にあって、ネルソンはどうしたか。

彼の取った作戦は、絶対に落とさなければならないと考えた砲台の前まで軍艦を持っていって、碇《いかり》を下ろして撃ち合うというものだった。敵の砲台にこちらの弾を当てて破壊するか、さもなければ自艦が撃沈されるかの二つに一つしかない。このような勝負をネルソンは挑んだのだ。

逃げ場など全くないわけだから、艦員はもう必死になって撃ち続けざるを得ない。これがまたみな適中し、結果ネルソンは勝利を得るのである。

こういう戦いをするのが猛将だと思うのだ。

猛将というのは、とくに戦場においては非常に尊ばれる存在でもある。攻撃しなければならない場面において、必ず攻撃してくれるという信頼感があるからだ。

戦場においては、不利な状況とわかっていても攻撃が必要な場合が出てくる。そのような時、被害が大きくなるとか、あるいは攻撃しても意味がないなどと、いろいろと理由をつけて臆病風を吹かせるような司令官ではダメなのだ。

同じ状況で、知恵を絞って工夫をこらすのが知将だが、戦場においては知恵をめぐらせている暇などないことも多々ある。そういう時に勇を振るって、「えい、やっ」とやるのが猛将なのである。

こういう人物がいると、下の兵隊たちは奮い立つ。だからこそ戦場では猛将は尊ばれるのである。ビジネスの現場は戦場にたとえられることが多いが、そこにおいても生半可な知恵より、「えい、やっ」と決断してしまう勇猛心が時局を好転させることが多いのではないかと思う。

日本の運命の分かれ目だったミッドウェー海戦の時、機動部隊司令官の南雲中将にこの「猛将」の性質が欠けていたと、航空母艦「赤城」の飛行隊長だった淵田美津雄中佐（当時）は書いている。南雲中将は、大佐で艦長だった昭和八年頃は海軍のピカイチという感じであったが、それから約十年たった頃は、温厚で情に厚い提督ではあっても年のせいで気力も落ちていたという。一番大切な戦場で猛将が指揮していなかったのである。

猛将肌なのか知将肌なのかはその人の資質によるところが大きいが、いずれにせよ、なろうと思ってなれるものではない。しかし、危機的な局面やここぞというような場面においていて、いかに動くか、いかに知恵を働かせるのか、あるいはいかに勇気を奮い起こすのかということに関して、彼らの姿勢は非常に参考になると思う。知将や猛将と呼ばれる人たちのやり方には、優れた作戦が常に生かされているのである。

まさに理想的な〝将器〟を備えていた蒲生氏郷

猛将や知将などよりももっとランクが上で、両方を兼ね備えているような武将、それが名将だろう。

安土桃山時代に、武勇にももちろん優れ、しかも茶道や和歌のたしなみも深かったことから、名実ともに名将と謳《うた》われた人がいた。武将、蒲生氏郷である。蒲生氏郷はわりと早く死んでしまうので、とくにこれといった業績を残したわけではない。けれども、織田信長、豊臣秀吉に仕えて、歴戦の武勲を上げている。

小牧・長久手の戦いの功によって伊勢・松ケ島を与えられ、その後は秀吉の小田原征伐に参加して会津に転封となり、会津黒川を会津若松と改名して城下町建設を始める。ここで奥州の伊達政宗を監視して押さえ込み、また秀吉に滅ぼされた大名の遺臣たちの起こした一揆を鎮圧している。

戦場に出れば猛将的な面も見せるが、決して無茶なことはやらない。また、よく家臣をもてなし、大切にしたことでも有名だった。兵隊の把握もうまいので、兵も勇敢に戦った。

さらに、転封されるたびに城下町商工業者を引き移したため、城下は絶えず賑《にぎ》わい、松ケ島少将、会津少将の名で親しまれた。そのうえに茶道や和歌、連歌もこなすという、当時の武将には珍しく文武両道に達した典型的な名将であった。

このような名将のもとでは、兵の訓練も行き届く。氏郷が死んだあとの関ヶ原の戦いにおいては、蒲生家から雇われた浪人たちはたいへんよく戦ったといわれている。蒲生家にいたというだけで勇猛果敢に戦うという印象を、氏郷は後々にまで残したのである。そして事実、兵隊たちはその通りに戦ったのであった。

名将・蒲生氏郷は、まさしく知将的な面と猛将的な面とを兼ね備えた人物だったといえるだろう。

イギリスの観戦武官の度肝を抜いた東郷の〝肚《はら》のすわりっぷり〟

将たる者の器とはどのようなものなのかを、その典型的な例として、知将、猛将、名将から見てきた。ここでもう一人紹介しよう。今世紀、聖将――文字通りそれは聖なる将軍のことなのだが――と呼ばれた人がいた。あの東郷平八郎元帥である。

東郷平八郎という人は、ほとんど口を利かず、最初はどちらかというとあまりパッとしない存在だったようである。しかし連合艦隊司令長官になるとなぜか、身近にいる人たちがみな奮い立つようなことをつぎつぎとやり始める。

別段、派手に動き回ったりするわけではない。しかし全員の気が引き締まっていくような態度がそこここに現われる。参謀たちはいつの間にか心底尊敬してしまったといえよう。

有名なのは日露戦争が始まった直後、バルチック艦隊との戦いの一年ほど前の話だ。

明治三十七年五月十五日、旅順港外で日本の戦艦二隻が続けざまに機雷に触れ、沈んでしまった。実はこの数日の間に、どういうわけか、巡洋艦や水雷艇、砲艦その他の小さな船が三〜四隻衝突や触雷で沈没するという不運が続いていた。とはいえ、これら小さなものなら日本でも建造できるから、まあなんとかなる。

しかし戦艦となると、当時の日本ではつくれない。戦艦は、多額の金を支払ってイギリスから購入していたのである。それこそ十数年間の国民の税金で、ようやく買い入れた最新のものだった。そのため、日本には六隻しかなかったのだ。

ところが、わずか半日の間にその三分の一を失ってしまった。日本軍全体にとってはたいへんな痛手だった。これからロシアとの戦いの本番、という時である。これでは手の打ちようがない。このため伝え聞いた参謀長などは、もう真っ青になって声も出ないほどだったという。

普通このような重大事を聞かされたら、誰でも多少は動揺するものだ。ところが東郷という人は、このような時にも顔色一つ変えなかったという。報告にきた艦長たちの話を黙って聞いて、「ご苦労さんでした」といい、ついでにお菓子を勧めたというのである。

戦う前に機雷に当たってしまうなど、運が悪いといえばこれほど運の悪いこともないはずだ。しかしこういう状況に陥っても、顔のシワ一つ動かさずに泰然自若としている東郷元帥の姿を見て、イギリスの観戦武官も、こんな凄い人がいるものなのだと驚いたようだ。同時に将兵たちの志気はかえって高まり、また元帥への信頼感は一層深まったという。

そしてその一年後、日本はロシアのバルチック艦隊をほとんど全部沈めてしまうという、全世界も驚くような奇跡にも近いことをやってのける。ロシアの艦隊三十八隻中、撃沈十九隻、捕獲七隻で、捕獲をのがれて逃げ得たのはわずか数隻のみ。これに対して連合艦隊が失ったのは水雷艇が三隻だけという、もう圧倒的な勝利を得ているわけだ。

このような東郷元帥を見ていると、もうこれは普通の人間ではないと思ってもしかたがない。

日本海海戦の時、東郷元帥が旗艦三笠の艦橋に立ったまま指揮をしたのは有名だが、このときの話も残っている。実際、この海戦はすさまじく、戦艦三笠だけで百人近くが死傷している。後の太平洋戦争の時の連合艦隊司令長官となった山本五十六もこの時負傷し、傷痍《しょうい》軍人第一号になっている。尻のあたりの肉が赤ん坊の頭ぐらい削り取られ、指も二本もなくしているのである。

それはともかくとして、このようなすさまじい海戦のあいだじゅう、艦橋に立って戦況を見守っているのだ。当然、四方に落ちる弾からの水しぶきを受ける。双眼鏡も軍服も何もかもグショグショになる。

ところが、戦いが終わって東郷元帥が一歩動くと、彼が立っていた足の跡が乾いたまま、そっくり残っていたというのだ。つまり、東郷元帥は戦況を双眼鏡で食い入るように眺めながら、一歩たりとも動かなかったことを意味する。これはまさしく聖人にしかできないことだということで、彼は聖将と呼ばれるようになったのである。

実際、当時はまだ極東の一弱小国であった日本が、日本海海戦で強国ロシアの艦隊と戦って、あれほど完勝しようなどとは誰も考えなかったし、世界の歴史の中でも類例のないことだった。このことからも、それを成し遂げた東郷平八郎は、聖将と呼ばれるにふさわしい人だったと思う。

彼はまた、人格的にも一点の汚れのない人だった。議会などに出なければならないような時には、議会の途中でトイレに立って周囲の人の迷惑にならないようにと、前の晩から水を飲まないように気をつけるといったことまでする。とにかく、背すじがぴしっと伸びているような人だったのである。

勝ちっぷりにも、人格的にも欠点がなく、文句のつけようがない人だった東郷元帥は聖将とされ、東郷神社に祭られるようになる。今でも、何か勝負しなければならない時や、あるいは何か大事なことを成す場合に、気を引き締めるために「皇国の興廃この一戦にあり」とか「本日天気晴朗なれども波高し」などという言葉を使ったりすることがあるが、これもすべて東郷平八郎の言葉として伝えられている。

文章を作成したのは前述した秋山真之という参謀だが、いかにも東郷司令長官の言葉らしいし、また、東郷が掲げたということで言葉に重みが増すのである。今流にいえば格好いいコピーといったところだろう。全員を奮起しようという気にさせる名文句である。

判断力、決断力でも突出していた〝聖将〟

東郷元帥が将たる者の器として理想的なのは、一つには豪胆であることだ。肚がすわっているのである。やる時には肚をすえて断固としてやるからこそ、〝将〟たり得るのだ。それは日本海海戦の時にはもちろんのこと、すでに日清戦争の頃にも現われている。

明治二十七年、日清戦争が勃発する一週間ほど前のある日、一つの事件が起こった。そしてこの事件で日本は世界中をアッといわせるのだが、この事件の張本人が東郷平八郎その人だったのである。

当時東郷は巡洋艦「浪速《なにわ》」の艦長で、まだ大佐だった。宣戦布告前だったが、朝鮮沖ですでに清国海軍と渡り合っていた浪速は、そこに、大型汽船を発見する。マストにはイギリス国旗が掲げられているが、よくよく見ると清国陸軍の兵隊が乗っているのがわかった。英国汽船高陞号《こうしょう》で、清国が陸兵輸送のために使用しようとしていたものだ。

そこで東郷はただちに英国人船長に対して下船を命じた。しかし、二時間以上にも及ぶ説得にもかかわらず、何ら応じようとしない。やむなく東郷は、撃沈の命を下し、砲撃する。高陞号は沈み、イギリス人船員は全員救助されたが、清国将兵はほとんどが溺死してしまった。

この事件は、イギリス国民を激怒させた。しかし、やがて詳しい情報が入るにつれ、東郷のとった処置のすべてが国際法にかなっているということがわかり、騒ぎは収まるのである。

清国側と渡り合っていたとはいえ、まだ正式に開戦したわけではない。そのような時にいかに清国将兵を積んでいたとはいえ、当時は世界に冠たるイギリスの籍を持つ船を撃沈させるなど、恐くて並の心臓の持ち主にできることではない。しかし東郷元帥には、国際法的に合法ということでそれをやってしまう度胸の良さと潔さがあった。

また、こういう大それたことを実行しても、合法的な行為だからと、端からとやかくいわれても何ら動じない。そういう姿を見せつけられると、部下たちはもう完全に信頼してしまう。この司令長官なら大丈夫だと、参謀たちも完全に心酔し、各自、自分の力を十分に発揮しようとするのである。

そしてまた東郷という人は、そのような部下の腕を振るわせることのできる人でもあった。だから、いわば、最高司令官になるために生まれてきたような人だったのである。

「大運」が転がり込んでくる男の処身術

とはいえ、華々しい戦果にもかかわらず、東郷平八郎その人は、無口でどちらかといえば目立たない人物だったことは先に述べた通りだ。日清戦争以降は、佐世保や舞鶴の鎮守府司令長官になっているに過ぎず、何もなければそれで引退してもおかしくなかった。いわばリストラの対象となるような人だったのだ。

事実、明治二十六年の山本権兵衛による海軍幹部の大整理の際、海軍大佐・東郷平八郎の名が挙がっていたという。評価され始めたのは、やはり高陞号撃沈以降なのかもしれないが、それでも華々しい経歴があるわけではなかった。

しかし日露戦争にあたって、山本権兵衛は考え抜いたあげく東郷平八郎を連合艦隊司令長官に抜擢した。明治三十六年のことだ。さほど高い評価だったわけでもない男を、どうして連合艦隊司令長官などという国の動向を左右する要職に就けたのか。

山本権兵衛は明治天皇にそのことを聞かれ、「東郷には運がついているからです」と答えたといわれている。〝運のいい男〟というだけでの抜擢がものの見事に当たったということなのだ。ただ、この話には多分に逸話的なところがある。おそらく本当のところは、山本も東郷も薩摩出身だから、東郷なら大本営運営部のいうことに背くようなことはしないだろうという判断と、軽はずみなことはしない東郷という男の平素の態度が評価されてのことだったのだろう。

ただ、東郷平八郎が運のいい男であったことは確かだと思う。日本海海戦が終わるまで、さまざまな事故や不幸が起こっている。その最たるものが前述した戦艦の喪失なのだが、東郷本人がお菓子を勧めたりして動じなかったためか、あとになって大きな運が転がり込んできているようなのだ。

危機的な状況でトップに立つ者がうろたえたり、顔色を変えているようだと、下の者は戦意を失い、戦いには負ける。戦いの場で艦橋に立って動かなかったというように、最高司令官たる者には、何が起ころうともピタッとして動かないという姿勢が重要なのだ。

そういう姿勢があれば部下は完全に信服してついてくる。参謀は参謀としての役割を十二分に発揮するし、砲兵は砲兵としての役目を必死になって果たそうとする。こうして不利な状況もいつの間にか打開されていき、そのうち、天佑ともいうべき大きな運が巡ってきたりする。

東郷にとってのそれが、まさしく、例のお菓子からおよそ一年と十日後に起こったバルチック艦隊との日本海海戦だったのだ。

「切所《せっしょ》」では念には念を入れる精密な頭脳

しかしながら、日本海海戦で勝利するまでの道のりは、かなり厳しいものだった。とくに、日露戦争開戦直後からの旅順港外での海戦は、厳しい条件を克服しなければならなかった。それは、こちら側は無傷のままで、ロシア側を一隻残らず全部沈めておくというものだった。

ロシアは東洋艦隊とバルチック艦隊とから成っていたので、バルチック艦隊がくる前に東洋艦隊を潰しておかなければ勝ち目がなかったのだ。しかし旅順での戦いに時間をとられると、逆にこちら側の損害も大きくなる可能性がある。短期間のうちに、無傷で敵を叩くという、非常に難しい状況下に東郷は置かれていたのである。

そのうえ東洋艦隊は旅順港の奥深くにこもって動こうとしない。旅順港口は全艦隊で封鎖したものの、東洋艦隊が健在なことには変わりなかったし、もちろん旅順要塞も落ちてはいない。十か月にわたる港口封鎖や海戦のため、日本側の各艦隊の状態は悪化していた。バルチック艦隊はすでに日本海めざして出港しており、これを迎え討つためには、艦隊を完全な形にしておく必要がある。

こういうさしせまった状況の時に、ようやく二〇三高地が落ちたのである。これに続いて、陸上からの砲撃でロシア艦隊をつぎつぎに沈めていった。けれども、わずか一艦だけが沈没を確認されていなかった。戦艦セヴァストーポリだった。

たかが一艦ぐらい残ったところで……というわけにはいかない。一艦でも撃ちもらすようなことになれば、それが外洋に出た時、必ずや日本近海の兵士や軍需品の輸送に差し障りが出る。バルチック艦隊を迎える東郷にとって、それはあってはならないことだった。だから東郷は自らその確認のため旅順港に赴くのである。

さらに東郷は、確実に沈んでいるかどうかを自分の目で確かめた。連合艦隊司令長官は普通そのようなことはしない。報告を聞いておしまいである。だからよほどこのことを重要視したのだろう。へたをすると機雷に接触して爆死するかもしれない危険な海域へ、自ら乗り込み、当時東郷元帥しか持っていなかったツァイスの大きな双眼鏡で何度も確かめ、「沈んでおります」といって引き返したという。

目的が完全に遂げられているかどうかを確認し、念には念を入れる用心深さも東郷は持ち合わせていた。無口な武人でありながら、その内部には正確さを期する精密な頭脳が隠されていたといえるだろう。

こうして連合艦隊の全艦は十カ月にもわたる任務を終えて佐世保へ帰り、ドック入りして、日本海海戦に備えた。その間、バルチック艦隊はどうだったかというと、長い航海とはいえ、行く先々で問題を起こしてモタモタしていた。連合艦隊にとってこれが幸いしたことはいうまでもない。

こう見てくると、東郷という人はやはり運を味方にしているところがある。それも、最初は小さな運と思えるものが、ついには大きな運をもたらすという具合である。

日本海海戦で、戦力的には大差なかったにもかかわらず、バルチック艦隊は戦艦三十八隻のほとんどが撃沈か捕獲の全滅で、当方は水雷艇三隻の沈没のみなどということは、戦術面や精神面で日本が秀でていたとはいえ、よほどの運がないと起こり得ない。しかも、水雷艇の沈没にしても爆撃されて沈んだのではなく、波が高くてひっくり返っただけで、軍艦と名のつくものは無傷のままだった。だからこそ東郷は聖将といわれたのであり、世界的にも、ネルソン提督とならんで世界の海軍二大名将に名を連ねているのである。

身を持することに謙虚で、常に質素な生活態度、政治というなまぐさい部分に関わることなく、終生を軍人として貫き、その高い人格から、国民全員に親しまれた人――それが東郷元帥だったのである。

「責任感」一本を生涯つらぬき通す

これに対して、東郷と同じく日露戦争で活躍し、「海軍の東郷、陸軍の乃木」と並び称された乃木希典《まれすけ》大将は、軍神とされているけれども、普通は聖将とはいわれない。

乃木大将は旅順の攻略で有名だが、これも大いなる犠牲を払ってようやく攻略し得たというだけで、どちらかというと、もたついた感はまぬがれない。しかも、最終的に落としたのは満州軍総参謀長児玉源太郎で、児玉が乃木にその栄誉を全部譲って表に出なかっただけというのは、当時の陸軍の中ではよく知られていたことだという。とにかく、乃木は戦争がへただったから名将とはいわれないし、知将とも猛将ともいわれない。

にもかかわらず、乃木大将が尊敬を集めるのは、猛烈ともいえる責任感の強さがあるからだろう。旅順攻撃においては、十三万の将兵のうち約六万人が戦死傷するという未曾有の苦戦を強いられたが、この責任を非常に重く受け取めている。明治天皇に戦勝報告する時も、「大勢の兵を殺してしまいました」といって泣き、報告にならなかったといわれている。そして明治天皇大葬の日、赤坂の自宅で夫人とともに天皇に殉じて切腹自殺しているのである。

陸軍大将で、軍事参議官、伯爵にまでなった人が、自ら命を断つとはたいへんなことだ。当時は肩書きのそれぞれに莫大な報奨金がついているわけだから、黙っていても優雅な生活ができたはずだ。にもかかわらず、自分は明治天皇のために戦った、その天皇がなくなられたのだから自分も、といって潔く死んでしまうのだ。

乃木将軍の二人の息子は戦死しているが、養子ももらわず、乃木家は潰すといって自殺している。そうすることによって、天皇に対して多くの将兵を殺してしまったことの責任を取ろうとしているのだ。この行為が国民の感動を誘った。これほど天皇に対して忠節で、部下に対して責任感の強い人はいない、ということで奉られるようになったのである。

そこにはやはり将たる者のあるべき姿、理想的で典型的な姿があったのだと思う。将たる者である以上、「一将功成りて万骨枯る」という言葉を忘れてはいけない。一人の将軍が功名を得るその陰には、多くの兵隊たちの屍《しかばね》が横たわっている。戦場にさらされたそれら多くの兵士たちの犠牲があってこその将軍である。縁の下の力持ちたち、陰にあって働く無名の者たちのことを忘れるような指揮官や指導者であってはならないということである。

乃木大将は、戦場ではさほど優秀ではなかったかもしれない。けれども、指揮官として、あるいはトップとしての一つのあり方を示してくれたという意味で、やはり非常に優れた将軍だったと思う。だからこそ日本人はみな、乃木大将の切腹を知った時、トップとしてこれほど見事な責任の取り方はないと感激したのである。

この人こそまさに「将に将たる人」の見本

東郷、乃木と並んでもう一人、日清・日露戦争の頃に活躍した人物を挙げておこう。それは大山巌《いわお》元帥だ。この人はまさしく、将に将たる人ではないかと思う。

大山元帥は若い頃には弥介といい、砲術を学んで弥介砲という大砲を開発したりしている。だから、最初の頃はどちらかというと知将的なところがあったのではないかと思う。実際、戊辰《ぼしん》の役においては大砲で幕軍を大いに悩まし、官軍随一の砲兵指揮官としての名を得ている。

だがその後、地位が上がるにしたがい、しだいに自分が表に出ることを抑えるようになる。少年時代から記憶力も抜群で、ヨーロッパにも留学して軍事研究しているほど頭の切れる人だったが、それら光る部分を、まるで愚なるかのごとく極力抑え、後ろのほうでドッシリと構えるようになるのである。

とくに日露戦争においての児玉源太郎とのコンビはまさにその典型だった。大山元帥はこの時、満州軍総司令官だったが、いっさい口出しせず、「戦争のことはすべて児玉さんにまかせます」といって、総参謀長児玉の才能を遺憾なく発揮させるのである。

作戦家としての能力にかけては児玉は当代随一だったから、大山が各軍の司令官、つまり軍団長という大物たちを協力させ、政界や陸軍、海軍とのごたごたをさばいてくれれば、児玉は思う存分仕事ができた。こうして、大山・児玉のコンビは日露戦争を戦ったのである。いろいろな軋轢《あつれき》を大山が調整し、児玉に作戦のすべてまかせられたからこそ、満州においても勝利することができた。だからある意味では、この絶妙のコンビがあったからこそ、日露の戦争に勝利できたのだともいえる。

ただ、他人にまかせるだけなら誰にでもできるだろう。大山元帥の偉いところ、並のリーダーと違うところは、児玉源太郎には全部まかせるが、もしもそれでダメになったら、つまり負けいくさになった時には、自分が直接指揮して突撃すると明言していたところである。

幸いそういうことにはならなかったが、全軍が総崩れの時には自分が出るといっておいたほうがいいことを大山は知っていた。また、それで負ければ負けいくさの責任はすべて自分がかぶるといっているのである。将としての大きさはここにあるのだと思う。

勝っている時には表に出ないが、負けた時には責任を取るとなれば、部下たちはその心意気に心酔し、安心して思う存分力を発揮することができる。大山元帥はこれで児玉を動かし、満州軍を統帥したのである。

勝ちは自分のものにし、負けると全部部下の責任にする、どこかのプロ野球の監督や今どきの高級官僚たちとはわけが違う。人間の大きさが全く違うのである。

大山元帥はあの西郷隆盛のいとこにあたり、幼少の頃から西郷を師父としてきた。だからたぶん、将たる者のあるべき姿を知らず知らずのうちに、西郷から見習っていたのだろう。

どっしりと後ろに控え、どこか茫洋《ぼうよう》とした感じの人だったようだ。その茫洋さを明治天皇に見込まれて、日露戦争での総大将に選ばれたのである。

おそらくその理由は、陸軍の軍司令官がみな猛者ばかりだったためだろう。第一軍が黒木為楨、第二軍は奥保鞏、第三軍が乃木希典、第四軍が野津道貫と、幕末からの動乱を乗り越えてきた者ばかりだったのである。生半可な者では、誰もいうことをきかないことは明々白々だった。細かいことには口出しせず、どこかボンヤリしている雰囲気のある大山が最適だったのである。

実際、長州藩出身者で占められていた陸軍首脳部の中にありながら、長期にわたって最重要職に就任していられたのも、この茫洋とした人柄のせいだったといわれている。

ただ、これは大山元帥の責任でも何でもないのだが、偉くなりすぎたためなのか、この〝茫洋として、ボンヤリした元帥〟というイメージだけがひとり歩きしてしまったようだ。そして、将たる者、人の上に立つようなリーダーはどちらかというとボンヤリした人のほうがよいという間違った認識が生まれ、後年、この部分だけを真似る者が出てしまった。

とくに軍の司令官になった人の中には、大山がそうやったからというだけで、安易に自分の考えを抑え、前面に出ないことを徳とするようになった人もいたようだ。大山の真似をしていれば出世できると勘違いしてしまったのだろう。実力も中身も何もないのに、ただボーッとして何もしないのがよいリーダーであるはずがない。こういうのは、単なる無責任男にすぎない。

大山元帥は確かにボンヤリとしているように見えたかもしれないが、その中身には総大将としての器量が十二分に詰まっていた。それは、勝っている時には自分は必要ないが、敗色が濃くなった場合には沈着かつ豪胆に指揮して全軍を鼓舞するという能力と、それでもダメなら全責任を負うという器量である。大山にはこれらが備わっていたがゆえに、ボンヤリ構えてごたごたの調整をもやり得たのである。

だからこそ将たる者の将、名将だと思うのである。

6章

人をシビアに「見分ける目・評価する目」

あのナポレオン軍団が圧倒的に強かった〝根本理由〟

人の上に立つ者の条件の一つとして、「人材を見分ける眼力のあること」というのがよくいわれる。この人間は使えそうにないとか、この人材はここで使えそうだということを見抜き、それぞれを適材適所に配置する能力だ。だが、人を見分けるというのは並大抵のことではない。まず、どういう尺度で計ればいいのかがわからないからだ。

ダメな人間を計る方法は、一応開発されたといわれている。知能テストだ。これが最初に用いられたのは、軍隊の徴兵においてであったという。命令のわかる者、鉄砲やその他の武器の部分の名称ぐらいは覚えられる者でないと兵士はつとまらない。そういう兵士としての必要最低限の知能を持つ者を簡単に大量に選ぶために、逆にいえば兵士としてつとまらない人間を見分けるのに、知能テストは便利だったのである。

だが一方で、このテストはいい人材を見抜くには適していなかった。テストの結果がいくらよかったとしても、それが必ずしも戦闘の場で役に立つとは限らないからである。

だから、人材を見抜く眼力については、人それぞれの実例から学ぶより他に手がないだろう。歴史上の人材抜擢の名手たちには、常人では考えられないような眼力が備わっていた。アッと思うような人選をし、それが的中して成功していくのだ。それらの例を集めれば、何らかの共通項が浮かび上がってくるかもしれない。

人材抜擢の名手として一番有名なのは、やはりナポレオンだろう。彼には独特の眼力があったようで、兵隊をどんどん抜擢してそれなりの地位に就けているのだが、彼らがつぎつぎに凄い手柄を立てる。そうして将軍にまでなる人物が多数出てくるのだ。ナポレオン軍の将軍たちの大部分が兵隊上がりの猛者《もさ》であったのは、彼の眼力によるところが大きい。

ナポレオンの人選は、まずやらせてみて、そこで〝これは〟と思われる人間を見つけると取り立てるというものだったようだ。彼の軍隊が強かったのは、この独特の勘による人材抜擢のおかげといえなくもないだろう。

〝生き筋〟は今も昔も「常識外れの凄み」にある

日本でナポレオン的な人材抜擢をしたのは、やはり織田信長である。というより、信長の人事評価はかなり独得だった。しかもそれを実にドラマティックにやっていた。

その一番いい例は、桶狭間の戦いであろう。この戦いで信長は約二千ほどの軍勢で二万といわれる今川義元の軍を破り、義元の首を討ち取った。このとき、最初に義元に槍を刺したのは服部小平太であり、最後に首を取ったのは毛利新介である。

今川義元といえば、足利将軍につながる名家の出で、駿河、遠江、三河の三カ国百万石の領地を持つ東海の雄。それが上洛への野望を持って動き出したのだから、信長にとっては最大の脅威だったはずだ。だからこそ決死の覚悟で「人間わずか五十年……」と「敦《あつ》盛《もり》」を舞って出陣しているのである。

そういう最大級の敵の首を落としたのだから、普通ならば服部小平太と毛利新介は大出世をしているはずだ。何しろ百万石の大将首を取ったのだ。

ところが、この二人は大出世どころか、あまり登用もされていない。これほどの活躍をしているのに『太閤記』にもその後は出てこない。結局二人は、もともとは信長の旗本だったのを信長の息子の旗本にされるのである。

どうも信長は、二人は突っ込んでいったという点では確かに忠義で勇猛だけれども、一軍を指揮するような器ではないと判断したようだ。だから、息子信忠に岐阜城を譲って自分が安土城に入る時、この二人を息子の脇につけたのだろう。しかしこういう評価の仕方は、当時の人事考課からは考えられないことだった。

では、桶狭間の戦いで、信長が殊勲第一としたのは誰だったのか。それは書物などにもあまり登場せず、誰も知らないような、梁《やな》田《だ》正綱という在地の郷士だった。実はこの男が、桶狭間で今川軍が小休止していることを急報したのである。信長はそのことを論功行賞の第一とした。梁田に今川本陣の様子を伝えさせたのは、有名な蜂須賀小六といわれるが、小六は以前から信長のために今川の動向を探り、それを逐一報告していたのだ。

つまり、信長はこの時、この戦いにおいては情報こそが最も大きな武器になると考えていた。今川がどこまで来て、どういう状態にあるのかが彼の最大の関心事だったのだ。その関心事について的確に報告してくれた者、つまり梁田正綱こそが最大の功労者というわけなのである。

あとの作戦その他は信長本人が立てているので、自分の作戦通り突っ込んでいったのであれば、今川の首を取るのは当然、という思いがあったのかもしれない。だから実動部隊の二人には恩賞こそすれ、それほど高くは評価しなかったのだろう。

しかしこれは、当時にすれば常識外れのことだったと思う。なにしろ大名になってもおかしくないほどの働きをした二人をほとんど出世させなかったのだ。へたをすれば反逆されてしまう。

信長という人はこのような型破りな人事を、平気でドラスティックに行なう人だった。人を扱うのに、よほどの自信と独得の目とセンスを持っていたに違いない。

〃判断基準〃をどこに置くかで価値が一変する

では、信長が大名に取り立てたのはどのような人物だったのか。これはよく知られている草履取りの秀吉などである。対浅井氏、朝倉氏との戦いにおいて、また姉川の戦いや、小谷城《おだにじょう》の攻略で手柄を立てた秀吉は、元来は単なる小者であったにもかかわらず、浅井氏の滅亡後、居城を与えられて大名となっている。

あるいはまた、家が斎藤義龍に滅ぼされて浪人していた明智光秀を、よく手柄を立てるということで大名に取り立てたりしている。譜代の臣でも、信長軍団中随一の猛将で、常に先鋒として活躍していた柴田勝家を越前の大名として取り立てている。

このようなやり方を見てくると、信長の抜擢は、従来の大名首を取ったとかどうかといった単なる結果によるものではなく、手柄のたて方を見て決めているように思える。つまり手柄のたて方で、一軍を指揮するに足る人物かどうかを見きわめているのである。一軍の将たる者、組織をまとめなければならない。そういう能力があるかどうかを、信長は戦場での働きで見ていたのだ。

それまでの戦国武将たちは、足利時代あたりからずっと一族郎党で戦ってきたため、おのずとその序列が決まっていた。横あいから突然、小者や浪人者が入ってくるような余地などないのが普通だった。だが信長はこのような前例をくつがえす。現代流にいえば、実力重視の異例な人事ということになろう。

ただひとつ、信長が見誤ったのは、光秀の裏切りだった。浪人者を大名に取り立てるというような発想は当時なかったから、自分が取り立てた者が恩に着ないわけがないと信長は思っていたのだろう。この一点を見誤ったがために、信長は本能寺で死ぬことになってしまったのである。

光秀のことをのぞけば、信長の眼力は天才的といってもいい。誰が自分の必要とするところに役立つかを、ほぼ正確に見抜いている。

とにかく「目をかける、引き立てる」

さて、信長はその気性の激しさが裏目に出て、明智光秀という裏切り者をつくってしまったが、同じく前例にこだわらない抜擢を徹底的に行なった豊臣秀吉には、裏切り者がいなかった。そういう点からいえば、秀吉は人の扱い方がうまかったのだろう。

うまくいった理由の一つに、秀吉には信長や家康と異なり、譜代の家来が全然いなかったということがあるだろう。また当然のことだが、人物を見抜く鋭い眼力も必要となる。秀吉は、これはという人材を子供の頃から小姓として目をかけて引き立て、抱え込んでいた。加藤清正にしろ福島正則にしろみなそうである。

清正の剛勇ぶりはつとに有名だが、秀吉は母と母がいとこ同士というずいぶん遠い縁にもかかわらず、清正を幼少の頃から引き取り、目をかけている。また、福島正則も片桐且《かつ》元《もと》も少年の時に秀吉に呼び出されて小姓となっていたが、その後「賤ケ岳の七本槍」と称されるほどの武勇を立てて大名となっている。このように、秀吉の小姓となって大名にならなかった者はいないほどなのである。

みなあとになってその武勇が認められたとはいえ、小姓に取り立てられた時には、どうということのない少年だった。清正は縁つづきとはいえたいした縁でもないし、正則も縁つづきだが半農半士の息子で、川魚か何かを竹槍で突くのがうまかった程度の悪ガキである。加藤嘉明《よしあき》は馬子にしか過ぎなかった。

小姓といえばちょっとは聞こえはいいが、その実は、台所の近辺をうろうろして大飯を食らっていただけなのかもしれない。そういう海のものとも山のものとも知れない者たちの面倒を秀吉はみているのだ。秀吉自身もまだ若く、偉くもなっていない。だが、それら小姓たちがのちにみな手柄を立て、名将、勇将と呼ばれるようになるのである。

このことからも、秀吉という人はたいへんな眼力を持っていたといえるだろう。譜代がいないまま天下を取るには、そのあたりの感覚を人一倍研ぎ澄ます必要があったのかもしれない。

ところで、譜代がいないというのは相当な痛手だったと思う。それから子供に恵まれなかったというのも、豊臣時代を短命にした理由の一つだろう。

秀吉は多くの側室を持ったが、淀君以外は一人として子供ができなかった。みな身分の高い女性で、俗にいう〝お尻が大きく、子供のできやすい〟タイプではなかったのだろう。淀殿だけは妊娠して秀頼を出産したが、出自に若干疑問があるようだし、何より秀吉本人が年老い過ぎていた。このあたりの運の悪さが、ある意味では歴史の面白いところであろう。

部下には裏切られっぱなしだった家康の〝強運〟

秀吉とは異なり、健康そのものの女性を側に置いて子供をいっぱいつくった徳川家康の眼力はどうだったのだろうか。側室を選ぶ目は優れていたのかもしれないが、家康も信長と同じく、どちらかというと部下に裏切られたほうといえる。

家康の老臣として活躍していた石川数正が、突然秀吉のもとへ走ったのもそうだ。石川数正は、姉川の戦いや三方原の戦い、長篠の戦いと、家康が「世に家康あり」と知らしめていく数々の戦いにおいて、軍功著しいものがあった、文字通り家康の右腕だった人物だ。その数正に家康は裏切られてしまう。

そのほかにも、三河一向一揆との戦いや掛川の戦い、姉川の戦い、三方原の戦いと、数正と同じく数々の戦功を立てている水野忠重にも、また、家康の後ろ盾で松本の深志城を奪回して旧領に復した小笠原貞慶《さだよし》にも裏切られている。

いずれの人物も、戦闘においては右腕とも左腕とも頼む重要人物たちだ。彼らに寝返りを打たれたのだから、家康の人心把握は少なくとも若い頃はあまりうまくなかったといえる。最終的には天下を取って成功したからよかったものの、若い頃から相当に生意気で、周囲の信頼を集めかねているところがあったに違いない。

おそらく、関ヶ原の戦いに勝利したとはいえ、大坂冬の陣は実は相当危ない状況にあったのではないかと思う。

家康がもしもあの時、一年ほど早く死んでいれば、つまり、大坂冬の陣を始めたところで病没していれば、状況はがらりと変わったことは確かだった。家康がいなければ徳川方は間違いなく総崩れになっただろうし、そのうえに大坂城が落ちないとなれば、家康に味方した諸大名たちもバラバラになって国元へ引き揚げてしまっただろう。徳川本体もバラバラになったはずなのだ。

ところが、大坂冬の陣、夏の陣を終結させるまで家康は生きていた。だからうまくいったのである。家康は夏の陣の翌年に病気で亡くなっているから、徳川の天下になるかどうかは、わずかこの一〜二年の差で決まったといっても過言ではない。

まさに強運のなせる業だった。そのほかにも目の上のたんこぶだった加賀の前田利家が都合よく死んでくれるなど、最後の最後は本当に強運で勝ち取った勝利なのである。

もちろん、運も実力のうちで、家康がたいへんな実力者だったことは確かだ。だがそれだけに裏切り者も多く、また家来からの不満も多かった。ある意味でこれは、実力がある者の宿命といえるのかもしれない。

外様には手をつけなかった家康の〝深謀遠慮〟

徳川幕府は家康、秀忠、家光の三代で安定する。だが、安定すればするほど、三河以来の家来たちに不満が続出するようになる。大久保彦左衛門などはその典型だろう。

大久保彦左衛門が著した自伝『三河物語』には、枚挙にいとまがないほどの不平不満がちりばめられている。三河以来、団結して戦ってきた譜代の三河武士たちにしてみれば、徳川幕府が誕生し、それを維持していくためにつくられていくさまざまな制度そのものに違和感があったのだろう。

たとえばこうだ。大久保家は七代も八代もの長きにわたって徳川家に仕えてきた。その間に裏切り者などただの一人も出さず、ただただ忠勤して死に至る者も多数いた。自分の兄弟も徳川家のためにあらかた死んでいる。にもかかわらず、本家は潰されてしまった。つらつら振り返って考えてみると、高天神城の戦い以来、徳川三代に仕えてきた自分も、わずか二千石しか与えられていない。

これに対して、織田がよければ織田に仕え、秀吉の羽振りがよければ秀吉にというようなどっちつかずの外様が、何万石も何十万石も与えられて威張っている。すれ違う時にこちらが道を譲らなければならないなど、言語道断のことだ……こういって悔しがっているのである。

この種の不平不満は、彦左衛門ばかりでなく当時の三河武士たちの多くが持っていたようだ。徒党を組んで暴れる旗本も出たくらいなのである。

だが三代で天下が安定する頃には、こうした不平不満分子のほとんども死んでいなくなる。ここにも家康の運というのが見え隠れしているように思う。

実は、家康は彦左衛門ら三河武士たちの不平不満を知っていたのだが、外様大名の石高はとりあえずはそのまま残すことにしていた。これは、家康が自分が生きている間に世の中を平定するために、ぜひとも必要な高度な政略だったのである。

譜代に石高を多く与えるためには、関ヶ原や大坂の陣で自分に刃向かった外様大名たちの領地を取り上げ、それを分け与えなければならない。しかし、そのような腕力を発揮するには、家康は年を取りすぎていた。

しかも自分の息子の秀忠は、関ヶ原の戦いの時、たかだか真田一族ごとき地方大名に邪魔されたくらいで重要な合戦の場に間に合わない、という凡庸さをさらけ出してしまっている。

自分が死んだらどうなるかわからない、という恐れが家康にはあったのだろう。だから譜代の不満は放っておいてでも、外様には手をつけないという方針を取ったのだ。もし家康がもっと若ければ、その性格から推して、たぶん外様は一つひとつ潰していったはずなのだ。

こうして家康は、外様の領地には手をつけず、その代わりに外様に政治にはタッチさせないという政略を取った。当然、譜代の石高は小さくなり、十五万石以上はほとんどないという状況ができ上がったのである。

家康の場合には譜代が多くいたため、秀吉のように人材をどんどん抜擢して自分につける必要もなく、ただ譜代たちを小大名にすればよかった。ただ、石高を少なくする代わりに、中央の政治は譜代で行なうというシステムを構築したのである。

外様を政治にタッチさせず、しかも朝廷は崇めるだけで何の権力も与えないという政治システムは、いってみれば、外見よりも中味を取って実権は徳川家が握るということだ。この政策が当たり、徳川幕府はその後二百数十年の長きにわたって続いていく。もしも黒船が来なければ、それこそ千年ぐらいは続いたのではないかと思う。

そのように思うのは、あれほど長いあいだ政権を一家で支配していたにもかかわらず、黒船が来るまでどこにも討幕運動が起こっていないからだ。

百姓一揆などは確かに頻繁に起こっているが、これは政治全体への反発ではなく、たまたま領主に悪玉がいて高い年貢を取るなどの行為を働くために、それに対して起こったものにすぎない。

だから、黒船さえ来なければ、ほとんど半永久的に政権を握っていたかもしれないといえるのだ。

そういう意味で家康という人は、やはり人の動きを支配するという点では天才だったのだろう。

三人の英雄がとくに優れていた〝数字で計れない知能因子〟

信長も秀吉も家康も、それぞれの視点の違いはあれ、人材を見抜く天才だった。しかし、彼らに共通することもある。それは、彼らはどうも人を〝計れない知能因子〟で計っていたのではないかということだ。

人の知能には二種類あると思う。一つは計れる知能因子で、もう一つが計れない知能因子だ。

計れる知能因子というのは、採点できる知能因子のことである。俗にいう頭がいい、悪いというのはみなこの因子で計った結果をさしていて、一番わかりやすいのは学校の成績などだ。学校ではとくに、いわゆる主要科目といわれる英・数・国の成績が重視される。なぜならこれらの科目は、採点しやすいからだ。そうしてこの三科目の点数のいい人は頭がよく、悪いのはダメと判断が下されるのである。

これに対して、同じ英語でも英会話となるとどうか。これはいろいろな要素が加わってくるから、採点しにくい。計れない知能因子というのは、このようなもののことをいう。だから主要大学は入試に英会話を入れたがらず、はっきりと点数が出る問題を出すのである。また人の心や人を見抜く力といったものも、計ることはできない。今後の景気はどうなるかといったことも計りようがない。これでは採点のしようがないのだ。

つまり、計れない知能因子というのは、採点できない知能因子のことをいう。そして、信長も秀吉も家康も、これを見抜く力を備えていたのだと思う。

この眼力は、戦国の世で成功した武将たちはもちろん、現代であってもトップに立ち、人を動かしていかなければならない立場の人間には不可欠だ。逆にいえば、このような眼力を備えた者だけが本当のリーダーになれるのである。

ところが残念ながら、今の日本の人材選びは、計れる知能因子だけで人間を見ている。主要科目、あるいはそれに一〜二科目追加した科目の点数によって、頭の良し悪しを決める。その結果が、今の大蔵省や日銀の為体なのだ。

大蔵省や日銀はもちろんのこと、日債銀も長銀も、組織を動かしてきたのは東大出身などの超秀才といわれる人たちだ。彼らは学校での成績は抜群で、主要科目の点数など、それこそ凡人には信じられないくらい高い点を取っているはずである。

この超とも超々ともいえる秀才たちが、ではいったい何をやってきたのか。この十年を見れば一目瞭然だ。馬鹿な融資をし続けて平気な顔をしてきたのである。バブルからバブル潰し、そして不況からその対応に至るまで、今にしてみれば日本の金融業界には頭の悪い奴ばかりが集まっていたのではないかと思わせるほどである。単純にいってしまえば、超秀才たちのやってきたことはほとんど全部が間違っていたのだ。

これは何を意味しているのか。

帳簿をつけるとか資料整理をするとか、売り上げのグラフを見るといったことには、知力が要るから計れる知能因子が必要かもしれない。が、こと投資分野に関してはそんな知能は全く関係ないということだ。どこに投資すればうまくいくのか、どれくらい融資すればいいのか、この金額の貸し付けでこの会社はうまくいくのか、こうしたことの判断には、時の流れや運や人的な要素といった、計れないさまざまなことがからんでくる。だから、学校の成績とはあまり関係がないといえるのである。

大蔵省や日銀の不手際は、はからずも、採点できない知能因子がこれからの時代には必要となることを世に知らしめてくれた。誰にももう、学校の成績だけで人材を選ぶことの危険性がよくわかったはずである。

もちろん、高い知能は大切だが、それは主要科目の点数だけでは計りきれないのだ。これからは、銀行家にしても、どんな企業が世界に加わって生き残れるのか、またベンチャービジネスならどんなものが当たるのか、そういうことを見分ける才能が必要となる。こうした才能を持つ人間がこれからの時代には求められるだろう。

〝過去〟はいっさい無視して大抜擢する度量

では、どうやってこうした眼力を養うのか、どうやって優れた人材を見つけるのか――それについては、日清・日露戦争時の人材抜擢が参考になる。

必要な人材とは、決して突然天から降ってきたごとくに現われるのではない。常日頃から、そのような目で人を見ておくこと、そして取り立てておかなければ無理な相談である。どういうわけか敵の弾に当たらない奴だとか、勉強はたいしたこともないが戦争ごっこをやらせるとうまい奴というのがいるものだ。そういう人材を見つけておき、いざという場面で投入する。それが眼力というものだと思う。

人材を見つけるには、まず〝見る〟ことから始めなければならない。日清・日露戦争での人材投入は、それ以前の幕末から戊辰戦争にかけての戦いぶりをつぶさに見ていた人が人事を行なったから、適材適所になったといえる。この時代は敵だろうが味方だろうが、お互いにその戦いぶりをしっかり見ていて、それを後に生かしているのである。

戦いぶりがのちに評価された典型的な例が、桑名藩士の立見尚文《たつみなおぶみ》だろう。桑名藩は幕軍だったが、立見は越後長岡で桑名藩雷神隊の隊長として、河井継之助《つぐのすけ》らとともに官軍を散々に悩ませた。とくに山県有朋の陣営を少数にもかかわらず急襲したため、その後、あの山県が立見には頭が上がらなかったといわれている。

だが長岡は落城し、河井継之助も戦死してしまう。すると立見は、今度は雷神隊を引きつれて会津に入って戦い、最後にはとうとう庄内まで行って官軍と戦っている。このため、立見以下桑名藩士の名は遠く庄内の幕軍人員名簿にも刻まれている。

結局は戦いに敗れて桑名藩に幽閉された立見は、その後東京に出る。しかし、維新直後にこれほど徹底抗戦した男に職があるはずもなく、結局郷里に帰って事務員か何かをして生計を立てることになった。

普通の人なら、人生はこれで終わりのはずだ。ところが、この男の戦いぶりはきちんと官軍の人々の頭に残っていた。そして、西郷隆盛が西南戦争を起こし、この戦いがなかなか厳しい状況になるとみんな思い出す。確か桑名藩に、圧倒的に有利な官軍を手こずらせ、軍略を用いて一時的には幕軍を勝利に導いた男がいた……と。

こうして立見尚文は、かつて敵として戦った官軍側の維新政府に呼び出され、取り立てられて、のちに城山で西郷を追いつめるなどの大活躍をすることになる。さらに日清戦争でもうまく戦って勇名を轟かせ、男爵を与えられるのだ。その後は弘前で新師団の育成につとめている。その間にあの有名な「八甲田山雪中行軍」での凍死事件が起こるのだが、それはともかく、日露戦争においては、第八師団長として黒溝台の会戦を戦った。

黒溝台の会戦は、ロシア軍の動きを見誤ったためにあやうく全滅しそうになった戦いである。ロシア軍は予想を上回る大軍で黒溝台を占領し、ここに居すわってしまった。第八師団参謀長は、ロシア軍がそのような行動に出るとは考えていなかったため、日本軍は裏をかかれた形となって苦戦に追い込まれた。ここで、立見が踏ん張り、なんとかロシア軍を押さえ込むことに成功するのである。

日清・日露戦争の頃まではこのように、かつての敵方といえども、その戦いぶりがすばらしければ、思い切って登用している。人選する立場にある人間に学業の成績だけで人を判断するのではない、優れた眼力があったのだ。だから幕軍であった立見も、その戦果が評価されて陸軍大将にまでなっているのである。

同じようなことは、当時は当たり前のように行なわれていた。日露戦争での第二軍の司令官は前にも書いた奥保鞏だが、この人も小倉藩士の息子で幕軍だったにもかかわらず、その近代戦術の腕が評価されて抜擢された。しかも、伯爵から元帥の称号まで授かっている。

明治の頃の人はあいつは凄いということを見きわめる目を持っていたから、優れた人間をきちんと抜擢できた。そしてそうすることによって、国家も強くなっていったのである。

大英帝国があれだけ「超大国」になれた〝陰の理由〟

さて、抜擢人事を最も得意とするのは、アングロ・サクソンだと思う。順番や序列にこだわらず、実力があれば抜擢するというやり方は、彼らの伝統の中に常にあったのではないかという感じすらする。

たとえば、イギリスの首相で作家でもあるディズレーリは、もともとはイタリア系ユダヤ人の息子として生まれた人だ。だいいち、名前のディズレーリそのものが〝デ・イズラエル〟から来た言葉で、明々白々、「イスラエルからの人」、つまりはユダヤ人であることを表わしている。

彼のお爺さんは、イタリアからロンドンにやってきて商業的にも成功した根っからのユダヤ人だった。しかし父親がロンドンへ出て、ロンドンのユダヤ教の協会とケンカしてキリスト教に改宗したのが幸いし、ディズレーリに政界入りの道が開かれた。

イギリスでは当時、ユダヤ教徒には議員になる資格が与えられていなかった。だが、ディズレーリがユダヤ人であることはみなが知っていた。

このような人がその後出世し首相にまで上りつめ、ついにはイギリスの近代保守党の生みの親とまでいわれるようになる。これは、ある意味ではあり得ない話だ。けれども、イギリスのビクトリア朝時代は、そのような偏見などいっさいなく人材を登用するという、想像もつかないほど融通性のある社会だった。

何しろディズレーリが抜群の決断力、気概、そして強力なビジョンの持ち主であることがわかるや、首相にしているのである。

いいと思えば抜擢するという伝統は、イギリスにも、そしてその後のアメリカにも残っていく。現在のアメリカを見わたしてみても、そのような人物は大勢いる。R・ルービン前米財務長官も、A・グリーンスパン連邦準備制度理事会議長もユダヤ人だそうだ。

要するに、役に立つ人材を見つけたら躊躇《ちゅうちょ》なく使う、という姿勢が徹底しているのである。そして、この人材登用の仕方がとくにうまいのがクリントン大統領だと思う。彼はまた、そういう人材のいうことに耳を傾けるセンスも持っていたのだろう。

クリントンは女性問題が発覚したりと個人的にはごたごたばかりで、あまり褒められた大統領ではない。しかしだからこそ、あまり難しいことや立派そうなことはいわずに、ただただアメリカの景気をよくすることだけにつとめてきた。日本からお金を巻き上げるのに役立つ人材を使い、ひたすら景気のことに専念してきたのである。

すると国民も、どんなスキャンダルが発覚しようと、あいつは景気をよくしているからそんなことといいじゃないか、多少のことなら目をつぶろうという具合になっていく。アメリカは今、国民がそういう目で政治家を見るようになってきているのである。

普通だと、あれほどのスキャンダルが新聞に報道されれば、その時点で政治生命は終わりになる場合が多い。なのに、いまだに平気な顔をして大統領を続けていられるのは、要するにクリントンに人を見る目があったからだといえる。

クリントンはただひたすら、ウォール・ストリートの英雄たちの言葉に耳を傾けた。景気をよくするにはどうするか、それが今のアメリカにとって一番大切なことだという認識が彼にはあった。そして、そのアメリカにとって最も役に立つのは何か。それがウォール・ストリートだと気づいたところが彼の偉さだと思う。

ウォール・ストリートの人間に儲けさせれば、アメリカも潤う。そのためには、ユダヤ人だろうが何だろうが、かまわず引っ張ってきて抜擢した。

その一人がルービンなのである。ルービンは、弱小証券会社を二十数年でウォール・ストリート最強の証券会社に育てあげた男だ。まさしくクリントンの意図に合った人物だったのである。

このような人物に目をつけるのが、眼力というものであろう。眼力とは要するに、自分がやろうとしていることにとって、今最も役立つ人材は誰なのかを、偏見や条件などにとらわれずストレートに見分けることだ。

今の日本だとさしずめ、政治改革委員会の委員長にサッチャー元イギリス首相を持ってくるようなことだろう。そうすれば、ごたごたいってなかなか進まない政治改革など一発で終わってしまう。

7章
「豊かさ」の中で失ったものを取り戻せ！

かつての日本人の一番の「美徳」が悪ガキの中に生きていた!

話は古くなるが、千代大海が大関に昇進した時の言葉を聞いて、ちょっと驚いた覚えがある。

テレビや新聞の報道によると、千代大海は角界に入る前のまだ少年時代、相当なワルだったという。頭に剃り込みを入れ、暴走族にも入っていたようだし、ケンカもしょっちゅうやっていたという。

そんな少年が、角界という厳しい世界に身を投じ、あれよあれよという間に大関にまで上りつめた時、彼は、マスコミの質問に答えて「とにかく、親孝行がしたかった」という言葉をもらしている。その一心で頑張ってきたというのである。

親孝行などという言葉は、ほとんど死語に近くなっているのではないかとさえ思える昨今である。そんな言葉がマスコミを通じて流れてくるなど、思いもしなかった。だからこそ、千代大海の言葉はある意味では新鮮にさえ聞こえたのである。

テレビも新聞も、インタビューの席で、彼の口からそのような言葉が飛び出してくるなど、予想していなかったのだと思う。だから案の定というか当然のことというか、以後のマスコミの報道は親孝行の部分には触れずに、ワルの部分だけが執拗に取り上げられていくようになった。

やれ、殴られた生徒は何十人もいるだとか、ナンパされた当時の女子生徒だとか、暴走族時代の友達がとっかえひっかえ登場しては、千代大海のワルぶりを披露していくのである。親孝行であることよりも、ワルでも出世していくという美談がマスコミは好きなのだ。

少年時代は荒れていたかもしれないが、千代大海が親孝行したかったのは確かだと思う。彼と同じように暴走する人間は大勢おり、人によっては暴走したままの人生で終わってしまう。そういう人たちには、おそらく親孝行などという観念はないだろう。

しかし、千代大海はずっと親孝行したいと考えていた。ここが重要な点なのである。

「親を喜ばせてやりたい」ことがすべての原点

では、親孝行とはいったい何なのだろうか。

出世することなのか、あるいは大きな手柄を立てることなのか。もちろん、それらは結果的には親孝行になるだろう。千代大海を見るまでもない。いや、もっともっと親孝行な人は世の中にいっぱいいる。

だが、成功や手柄、出世という観念を最初から頭に描いていると、親孝行というのがとてつもなく遠くて、しち面倒なことのように思えてしまう。

親孝行とはそういう大げさなものではない。もっと単純で、簡単なものだ。

一言でいえば、「親を喜ばせたい」ということである。これは、人間としてはいたく当然で、自然な感情である。千代大海が考えていた親孝行も、この単純な「親を喜ばせたい」という一心だけだったのではないだろうか。

このことは、ハマトン（イギリスの画家・著述家。著書に『知的生活』〔渡部訳・三笠書房刊〕などがある）の観察からもいえることだ。ハマトンはフランスの非常に貧しい羊飼いの生活について観察し、彼らの間で見られる一つの傾向について指摘している。

ハマトンによれば、貧乏な家庭では、親の権威が高くなる傾向があるという。

どうしてそのようになるのか。非常に貧乏な家は、当然、毎日の食事にも事欠く生活をしている。食べるのにも困るような状況では、親が働いて得たものは、食べ物だろうが何だろうが、すべてみんなで分け合わなければ生きていけない。そうすると当然のことながら、親の存在が非常に大切になってくる。こうして自然に親の権威が高まるというのだ。

私もそう思う。貧しい状況の中で育った子供たちというのは、親のありがたみを骨身にしみて知っているから、いつか親にも腹いっぱい食べさせてやりたい、と考えるのだ。

「いつか親を楽にさせてやりたい」「楽にさせて喜ばせてやりたい」――こういった感情が生じるのは、ある意味では当然の成り行きではないだろうか。

「日本にもかつては孝行者が多かった」などとよくいわれるが、実は、孝行者の多かった時代の日本は、やはり貧乏だった。当時、東北の田舎などには、親の苦労を見て進んで身売りする女の子が大勢いたくらいなのだ。それくらい日本は貧乏だった。明日の食べ物にも事欠く状態の中で、子供たちの面倒を必死になってみる親を肌身で知っていたからこそ、子供にも自然と「親を楽にさせてやりたい」という気持ちが育ったのである。

「家貧しくして孝子顕《あらわ》る」とはよくいったもので、家が貧乏だと子供も遊ばずに働かなければ食べていけない。この働く姿が善行として人の目や耳に立ち、孝行な子として人に知られるようにもなった。貧乏が立派な人物をつくり出すというのは、こういうわけだ。

ところが、今の日本では、ふやけた豊かさに慣れてしまったためか、親孝行という言葉さえも使わなくなってしまった。親が適当に楽して生活しているのだから、子供が「親に楽をさせたい」などと考えるはずがない。子供も楽に、親も楽に、適当にというのが今の世相である。これでは親孝行など、うとんじられてもしかたがない。

話をもとに戻そう。千代大海が、「親孝行したかった」のは、彼が自分の母親の苦労を知っているからにほかならない。だからこそ、心の底にいつも「お袋を喜ばせてやりたい」という気持ちを持ち続けることができたのだろう。

私が子供の頃に味わった唯一〝最高の優越感〟

さて、親孝行などというと、戦後民主主義かぶれした似非《えせ》マスコミ人などは、すぐさま、前近代的だとか、封建的だとかいって非難するかもしれない。しかしこれは、なにも日本や東洋だけの考え方ではない。英語にもある。ただニュアンスが違うだけだと私は思っている。

英語で親孝行は、フィーリアル・パイエティ(filial piety)という。フィーリアルは「子供としての」という意味で、パイエティは、「敬虔《けいけん》や忠敬」だから、これは親に対する子供としての義務といったような意味で、要は親孝行のことである。

私の印象としては、このフィーリアル・パイエティは、親に対する従順、親にはよく仕える、といったようなニュアンスで使われているようである。だから、どちらかというと日本の武士階級において見られたような孝行、つまり親に対して礼節を守ること、親に対する義務感のようなものに重きを置いていると思う。

これは古い英語からきたのではなく、つまり英語の大和《やまと》言葉でなく、ラテン系の言葉からきている借用語である。語感としては、漢語でいう「孝老」とか「孝養」といったような感じの言葉である。

これに対して日本の庶民的な親孝行は、元来は漢語であるが、使い込まれて大和言葉のような語感になった。その原点は親が苦労してかわいそうという親への愛にある。だから英語とは少しニュアンスが異なる。

しかし、である。ここで先ほどのハマトンに戻ると、このような感情は、百年前のフランスの貧乏な家庭においても確実に育まれていたというのである。つまり、西洋、東洋に関係なく、親孝行の概念は存在していたのである。

私の家も貧乏だったから、苦労する親の姿を見て育った。そのためか、自慢するわけではないが、よく親孝行な子だといわれた。それもこれもきわめて簡単なことで、親を喜ばせたい、両親を安心させたい、親に心配をかけたくないという気持ちが多少強かったにすぎない。

貧乏ながら子供にはいい思いをさせてくれたという意識があるから、なおさらだったのだと思う。

たとえば、ツケで本を買うことができるというのがそうだった。今考えると、これは親父の見栄もあったのではないかと思うのだが、とにかく、なじみの本屋へ私を連れて行き、本屋のオヤジに「うちの子が本を持ってきたら、帳面につけておくだけでいいようにしてくれ」といってくれた。そして私には、「講談社の本なら、何を買ってもいいぞ」という。

これは本当にありがたかった。私の家よりも千倍も万倍も金持ちの同級生はいっぱいいたが、本屋でツケがきくという特権を持つ者は私一人だった。貧乏なことがわかっているからそんなに頻繁にはしなかったが、それでも何回かはツケで買った。その時は何ともいえぬいい気分で、天にも上るような優越感を感じたものである。

だから、お金もないのにそういう気分を味わわせてくれた、という親に対する感謝の気持ちがふつふつと心の底から湧いてきた。とくに、時々このような突拍子もないことをやる父を文句一ついわずに支えてきたお袋に対しては、「なんとかして楽させてやりたい」「喜ばせてやりたい」という気持ちが強くなった。

私を留学へ駆り立てたのも、ただこの〝一心〟から

私は、何をすれば親は喜んでくれるのかということを常に考えていた。まだ学生だったから、親が生きているうちにできることはと考えた時、アメリカへの留学というのが一つの方法だった。

終戦直後は今と違って、アメリカ留学でもしようものなら、東北の田舎町の人たちは明治の頃の西洋留学ぐらいに考えてくれる。「あそこの家の息子はアメリカへ留学したそうな。たいしたもんだ」と話題にもなる。これなら、親としても鼻が高かろう、嬉しいだろうと私なりに考えた。だから、なんとしてもアメリカへ留学したかったのである。

しかしながら、家が貧しくて服装が貧相だったのを社会性が欠如すると見なされて、私は選からもれてしまった。そのまま大学を卒業しても、当時の私立大学の英文科など、就職口にたいしたものはなかった。これでは親が胸を張ってとくに自慢するようなこともできない。

それからしばらく、留学のことを考えると夜も眠れないような焦燥の毎日が続いた。もちろん学問をしたいという燃えるような思いがあってのことだったが、同時に、留学した姿を親に見せたいという切実な思いもあったのだ。

だからドイツ留学の話が来た時には、英文科に籍を置く身であるにもかかわらず、いの一番に飛びついた。その時は、もうドイツだろうがどこだろうが構わなかった。だが幸い、ドイツは比較言語学と英語学では当時世界一のレベルだった。

留学さえ決まれば、私の名前が田舎の新聞に大きく発表されるのだ。それを見れば親父もいい気分になるだろう。お袋は喜怒哀楽を顔に出す人ではないが、それでも内心は嬉しいに違いない。できれば人にも自慢したいと思うに違いない……そう考えると、留学が決まった時には人一倍嬉しかった。苦労させた親をやっと喜ばせることができると思った。親に対するこうした感覚というのは、私ぐらいの年代はみんな持っていたのではないかと思う。それもべつに無理矢理教わったのではなく、自然に身についていったものとしてだ。

私が子供の頃よく読んだ『少年倶楽部』『幼年倶楽部』『キング』といった講談社の雑誌には、親を大切にするといったストーリーが満ちていた。これらの雑誌にも影響されたのだろう。私はこうしてひとまず親孝行することができたのである。

息子のために実の生《な》る柿の木をまるごと一本買った親ごころ

ところで、講談社を創立した野間清治《せいじ》の家も貧乏だった。しかしながら、群馬県桐生の没落武士の家である野間家は非常に温かい家庭だった。また、清治の父親もちょっと面白い人なのである。

私の親父に似ているところもあるのだが、清治の父親は、たとえば村においしい柿の生る木があると、秋になるとその木をまるごと一本買ってしまうようなことをする。そして清治に、「お前、これ自由に食べていいぞ。友達にもあげていいぞ」という。こんな感じだから、清治は貧乏でもひどくいい気分で育っているのである。

野間清治の回顧録には、このようなエピソードが随所に出てきて、なるほど野間家というのは親子仲むつまじかったのだ、というのが実感としてわかる。また、今から考えると胸が痛くなるような兄弟愛の話もあり、親子、兄弟の愛情というのは、このようにして醸成されていくのかとよくわかるのだ。

たとえば清治が東京へ出るとなると、妹が機《はた》を織ったりして旅費や学費を工面する。本当に涙ぐましい家族愛である。野間清治の場合にも、貧乏と親孝行、兄弟愛とがぴったりと結びついているといえよう。

この種の話は、日本全国いたるところにあった。私の出身である庄内の鶴岡にも、似たような話が伝わっている。

庄内藩のある秀才が、選ばれて東京の大学に行くことになった。残された家族は、彼の学業を支えるために、それこそ、味噌汁に具が入るのは週に一度だけといったような必死の思いで節約をしたという。没落武士には極貧の家が多かったのである。

家族は、学業に支障をきたさないように一銭でも多く送ってやろうという思いで、わが身もかえりみず節約する。彼のほうにも、その気持ちはひしひしと伝わる。苦労をかけたという思いがあるから、「親兄弟には楽させてやりたい」「喜ばせてやりたい」という気持ちが自然と強くなっていく。この気持ちの持続が大切なのである。親孝行と貧乏とは密接に結びついているものなのだ。

今は、親も子も適当に生きられるようになって、ふやけた豊かさの中にいるために孝行が消えた。お互いに楽して生きているところに、親や子を思う気持ちが醸成されるのは難しいのだ。「家貧しくして孝子顕る、高度経済成長して親孝行消える」なのである。

あの、企業の株買い占めで「乗っ取り屋」の異名を持ち、悪役の権化のようにいわれたホテルニュージャパンの横井英樹氏にしても、親孝行の点から見れば、悪玉でも何でもない。彼もまた貧乏な家に育ったがために、親にはものすごく大きな墓をつくって喜ばせようとした。私は、この親孝行こそが彼の生きがいだったのではないかとさえ思うのだ。

戦時中の兵隊たちの愛国心においても、このような親孝行がベースになっていた部分が多いと思う。

もちろん戦前の教育として皇室を親と見るという考えがあったから、それが国と国民とを結びつけたのは想像できることだ。日本人はみな、天皇の赤子《せきし》であると教えられたのだ。部落解放運動の始まりであった水平社の運動までも、日本人はみんな天皇の赤子であるから平等だ、というスローガンを揚げていたくらいである。この疑似家族制度のもとにおいて、国に尽くすことと親に尽くすこととがスムーズに結びついていったことは考えられる。

だが、兵隊たちがよく戦ったもう一つの大きな要因は、親孝行だったと思う。

当時の日本の農村はすべからく貧乏だった。兵士はみな、親たちが寝る間も惜しんでまっ黒になって働いている姿を見て育った。彼らのほとんどは、戦争に行って卑怯な行為をしたり、脱走したりしようものなら、それはすぐに親兄弟に跳ね返ってくると考えた。

自分がしっかりしなくては、親兄弟に迷惑がかかってしまう、自分が臆病で卑怯な行為をすれば家に残っている親や兄弟、子供たちが恥をかくことになる——こんな考えが抑止力となって戦い抜くことができたのだ。戦いのベースには親孝行があったのだ。

アメリカでは、兵隊は親のためではなく、民主主義や国家のために戦った。日本では、愛国心に親孝行という要素が加わっている点が、欧米諸国とはちょっと違うのである。

とはいえ、貧乏が高じて気持ちがすさみ、子供にむやみに体罰を与えるような家には、やはり親不孝な子供が出たようだ。私は田舎で貧乏な家の親をずっと見てきているから、そのことがよくわかる。

どんなに貧しくても、親が生真面目で子供をかわいがるような家では、ほとんどの例外なく、親孝行な子供が育ったのである。

いる。

「記憶」と「年輪」は家庭円満の両輪

親孝行と同じく結婚についても、かつては日本人に固有な思い入れのようなものがあったと思う。ところが昨今では、結婚よりも離婚について取り沙汰されることが多くなっている。

事実、離婚率は九十年代に入って増加の傾向が著しく、最近では、年間約五万件にも達し、その後も増え続けている。成田離婚や箱崎離婚が当たり前になっているようなのである。単純計算すると、これはおよそ十分に一件の割合で離婚が起きていることになる。バツイチなどという言葉さえ生まれ、世は離婚花ざかりである。

だが、いくら離婚してみても、何度結婚してみても、結婚というものがどのようなものかはなかなかわからない。普通の物事は経験を積めば積むほど、その本質や実体がわかるものなのだが、こと結婚に関しては違うらしい。むしろ逆で、五回結婚した人よりは一回こっきりの人のほうがよくわかるのではないかと思う。

なぜ、そうなるのだろうか。それは、結婚生活というものが記憶の積み重ねで成り立つものだからではないかと思う。

私の家内は、髪にそろそろ白いものが混じり始め、しわくちゃとまではいかないにせよ、老婦人の雰囲気を十分に漂わせる年齢になってきている。けれども結婚した時の記念写真を見ると、今の姿形からは想像もできないくらい、ふっくらとしてういういしい乙女なのだ。すると、その当時から今に至るまでの、何十年もの時間の重みがひしひしと伝わってくるのである。さまざまな記憶がふつふつと湧いてくる。そして、この積み重ねを共有することこそが、結婚生活なのだと私は思う。

何回同棲しても、また、結婚、離婚を繰り返しても、このような時間の重みは得られない。共有する時間も短く、記憶も寸断されて、積み重ねるものがなくなってしまうからだ。

私の知人の女性学者が、はからずもそのことを裏づけてくれた。彼女には子供が二人ほどいるらしいのだが、ある時、何気なく、過去のアルバムを整理し始めた。子供たちがまだ小さい時分の写真を見ているうち、当時自分もまだ駆け出しの学者の卵で、子供と悪戦苦闘しながらとにもかくにもしゃにむに生きてきたその頃が思い出されて、涙が止まらなくなったというのである。

その話を聞いた時、そういえば私の家内も同じようなことをやっていたと思い至った。家内も子供たちのアルバムを見ながら、最初のうちは、「こんな顔している、あんな格好している」と笑っていたのだが、そのうち、「こんなにちっちゃな時もあったのね」とつぶやきながら、涙ぐんでいるのである。

三人の子供たちはみな成人して、私たちにはもう孫もいる。その孫と同じぐらいの年齢だった子供たちの姿をアルバムでたどるうちに、過去の記憶がどんどん蘇ってきて、思わず涙が出てきたのであろう。この思いの蓄積を共有できるのが、夫婦というものなのである。そこでは、過去の記憶とそれをたどってきた年輪とがぴったりと重なり合うのだ。

ここが、同棲などとは決定的に違うところだと思う。そして記憶と年輪とがかみ合った夫婦というのは、円満な家庭を築いてきたものなのである。気が合ったから一緒になって、嫌になったら止めてしまう、などといった安易な結びつきとは違うのだ。

例外もあるから全部が全部というわけではないのだが、私の知っている企業の経営者、とくに中小企業の経営者の多くは、景気がよくて儲けていた時分、女房とは別に、愛人といえる女性を身近に置くということが普通にあった。

当時、彼らの多くは、古女房などより若いこの愛人のほうがよく尽くしてくれるなどと悦に入っていた。なかには、老後は彼女に面倒を見てもらうなどと宣言した人もいたくらいである。

だが、私の知っている限り、全部失敗している。やはり彼女たちは、男のほうに金や社長という肩書きがあるから愛人になっただけなのである。不景気になって金もままならなくなればそれまでである。ましてや、引退したあとの老後の世話など始めから念頭にはない。そういう素振りでも見せようものなら、すぐさまおさらばしてしまう。

これに対して、古女房たちはどうなのか。

彼女たちは、社長たちがまだ若く、海のものとも山のものともつかない時分のことを知っている。多少の学歴と多少の財産がある程度で、その他何もないところからのし上がってきたとか、あるいは、そういうものも何もなく、ただ押しの強さと運を頼りに人生を切り開いてきたという、全くの下積み時代から知っているのだ。

知っているというよりも、苦しい時代を二人して乗り切ってきたといったほうがいい。それゆえ、二人の記憶が濃厚なのだ。過去からの記憶の重みを共に背負っているのである。だから不景気でうまくいかなくなればなるほど、また、年を取れば取るほど、その時代の記憶が蘇ってくる。記憶の一つの法則に、昔のことはよく覚えているが最近のことは忘れやすいというのがある。こうして、古女房たちが復活するのである。

俳優の三船敏郎もそうだった。彼は離婚して若い女優と一緒になった。ところが、彼がぼけると、この若い奥さんは逃げてしまう。そして結局、昔別れた最初の奥さんが彼の世話をすることになる。

これなどは非常に極端な例だとは思うのだが、やはり、老妻は重んずべしの典型的な例であろう。

昔習った『十八史略』の東漢光武帝のところに「貧賤ノ交ハリハ忘ルベカラズ、糟糠《そうこう》ノ妻ハ堂ヨリ下サズ」というのがあった。「糟糠の妻」とは、貧乏でかすやぬかしか食うものがなかった頃の妻である。そういう妻は自分が偉くなって御殿に住むようになっても、側において大切にせよという意味である。

三船の話に戻ると、彼自身はぼけていてどう思っていたのかはわからないが、奥さんの側からしても、二人の若い頃の記憶が濃かったのだと思う。

三船が若い女をつくった時には、殺してやりたいくらい憎らしかったかもしれない。けれども、年がたつにつれて、若い頃の記憶が蘇ったのではないか。そこでの三船敏郎は、彼女にとってはいい男だった。だから、捨てられるというひどい仕打ちを受けながらも、老後の世話をしたのではないか。三船にとってみれば、若い頃の自分の価値を記憶に残せたことが幸いしたといえるかもしれない。

結婚もそうなのだが、人生は記憶だと考えると多くのことが理解できる。

自分の人生はいったい何なのだろうと考えてみても、要するに記憶の連続こそが人生なのであって、そのほかには考えようがないことに気づくのである。

遺産相続といった、一見、記憶とは関係ないようなことでも、人生を記憶という視点からとらえるとわりと簡単に説明がつく。

なぜ、親は子供に相続させたいのか。

たとえば、私のなけなしの財産を、今の時点で遺産相続させるとする。私にとって今、一番役立っている人物は誰かというと、家内をのぞけば、仕事上では秘書で、その他のことでは家政婦さんということになる。

子供たちはどうかというと、これはみな独立した大人になっていて、今や昔のようにかわいらしくも何ともないし、今の私の役に立っているわけでもない。

これらの事情を考え合わせた時、では、役に立っている秘書と家政婦さんに遺産の一部でも相続させるかというと、決してそうはならない。どうしてなのか。

それは、血がつながっているとかいないとかということではなく、私の中の記憶がつながっているかどうかの問題だからだ。記憶のレベルの問題なのである。

子供たちは、まだ赤ん坊のヨチヨチ歩きの時から、だんだん大きくなって、どうにかこうにか小学校に入るようにまで育てた。そして、夏休みには山や海へ連れて行ってやった。さらに中学校の時はこうで、高校、大学の時はああで、という具合に、大きくなってきた記憶として子供は私の中に存在している。

これに対して秘書や家政婦さんは、たかだかここ数年の記憶にしか過ぎない。記憶のレベルが低いのである。だからこれらの人たちは、今どれだけ役に立っていても、私の遺産相続の対象とはならないのだ。外国では二、三十年も秘書をやってくれた人に財産を譲るということがあるようだが、これは、長く勤めれば「記憶の問題」となるからであろう。遺産を子供たちに相続させたいというのは、親としては普通の感情だろうが、その根底には、このように人生を記憶の連続としてとらえる考え方があると思う。親のこの思いをいいことに、子供たちが親孝行しなくなった点については、前に述べた。いずれにせよ、子供たちは親にとって記憶のレベルが高い存在であることには違いない。だからこそ、私たちの中では価値があるのだ。

「忙しくてたいへんな時なのに、私のために」が効く

夫婦についても同じことがいえる。記憶の重みのある夫婦、つまり、記憶のレベルが高ければ高い夫婦ほどうまくいく。

そういう点では、自分が輝いているうちに、いい記憶をつくることが夫婦円満の秘訣ということになる。つまり、男の立場からすれば、忙しく働いている時にこそ、無理して時間をつくり、女房のために尽くしてみるということだ。

何だかんだいいながらも、デレッとして暇をもてあましている時よりも、忙しく駆けずり回っている時のほうが、男は輝いて見えるものだ。そしてそういう時に、無理に時間をつくってカミさん孝行しておくと、これは彼女たちの記憶に残る。「仕事が忙しくてたいへんな時なのに、私のために」という感謝の気持ちが残るのだ。だから、ある程度は恩着せがましくやってもかまわないと思う。「本来なら休めないところなのだが、お前もくたびれているだろうから、ちょっと旅行へでも行こうか」というのである。

なにも大仰なことでなくてもいい。海外旅行である必要もない。夏休みや正月の休みを利用して夫婦二人で温泉へ行くとか、国内のパック旅行へ行くという程度でかまわないのだ。ちょっと余裕があるならハワイ旅行もいいかもしれない。

要は、忙しくて本当に時間がないような時に旅行するということだ。〝あの忙しがりやの亭主が〟〝忙しい忙しいばかりの亭主が私のために……〟というニュアンスが大切なのだ。だからこれは、若い時分でなくてもかまわない。五十代になってからでもちっとも遅くはないのである。

覚えておいてほしい。女房から見れば、亭主が忙しがって働いている時が一番輝いて見えるのだ。この輝いて見える時に、いい記憶をつくっておくことが大切なのである。

よく、テレビや雑誌などで、退職後はカミさんに大々的なサービスをすることが、さも美しい夫婦愛のごとくに紹介されたりしている。それはそれで結構なことには違いないのだが、あまり意味はないということは知っておいてもいいだろう。

なぜなら一つには、いくら地位のあった人でも、退職して暇になってしまえば、女房から見れば輝きが薄れてしまうということ。

そしてもう一つは、記憶の法則で、年を取れば取るほど、昔のことは思い出すけれども、最近の出来事は忘れてしまうからだ。いくら大盤振る舞いして女房孝行しても、それが退職後の年を取ってからのことだと往々にして忘れられてしまい、記憶として残っていかない。これでは何にもならないのだ。

だからこそ、記憶の重みとして残る、まだ若い時分にしておくことが大切なのだ。しょっちゅうやる必要はないが、五年に一度とか、それぐらいの頻度でかまわないから、一週間ほどカミさんのために休みを取るのである。

ただ、その際に注意しなければならないことは、旅行へ行くのなら奥さんの知らない土地か、あるいはそれほど詳しくない場所を選ぶことだ。

とくに海外へ行くような場合には、カミさんが詳しいところだと、最初のうちはいいとしても、だんだん亭主が邪魔になってくる。せっかく休みを取って連れてきてやったつもりが、気がついてみたらあわれな〝濡れ落ち葉族〟になっていたということにもなりかねない。

また、女房が英会話などのスクールなどに通っていたりして外国語がしゃべれる場合には、もっと要注意だろう。亭主がしゃべれなければ、女房のお尻にくっついているより仕方がなくなる。外出するたびにうるさい存在になってしまい、結局はケンカするはめにもなりかねない。このようなことになるくらいなら、温泉にでも行ってゆっくりするほうがずっと効果的である。

「一番近い人」だからこそ折り目正しくが鉄則

夫婦円満のためのもう一つの方法は、相手に対しては礼儀正しくするということだ。私もあまり実行していないので、勧める資格はないかもしれないが、カミさんには他の誰よりも礼儀正しくしなければならない。

あまりにも当たり前のこと過ぎて、まじめに考えたことなどないかもしれないが、夫婦にとって一番大切な人間は、当の相手以外の誰でもないのである。たとえば近所の人とトラブルが生じてケンカになったとしても、ある意味ではどうということはない。痛くもかゆくもない。嫌なら顔を合わせなければすむからだ。

ところが、夫婦となるとそうはいかない。毎日顔を合わせなければならない。だから、ほんとうは礼儀正しく接して、大切にしなければならないのである。このあたりのことを孔子は『論語』の中で、「夫婦別あり」といっているのである。夫婦といえども、折り目正しく接しなさいというわけだ。

頭ではわかっていても、実際にはこれがなかなかできない。けれども、夫婦円満のためには、時々でもいいからやさしさを見せ合うことが大切だと思う。それが礼節なのだ。

たとえ心からやさしさを発揮できなくとも、その努力はする必要があるだろう。毎日ではくたびれるから、十日に一度ぐらいはお互いに大切にし合う。そうすれば、長い間には、これが記憶として残っていくのである。

記憶のもう一つの法則に、いいことだけは覚えているということがある。不愉快なことは忘れてしまうが、いい思い出は残るのだ。最近、熟年夫婦の離婚が多くなっているようだが、それもこれもみな、忙しさを口実に夫婦二人の良い思い出をつくってこなかったからではないだろうか。

ちょっとしたやさしさでもかまわないから、たまには奥さんに見せることだ。若い頃からのその積み重ねが記憶として残り、それらを共有していくことにこそ、夫婦の意味がある。夫婦というのも人生と同じく、共有した記憶以外の何ものでもないのである。

8章

いつも周りに「刺激」のある生活を

「山青く、水清き」生活に誤魔化されるな

人は誰しも、「山青く、水清き」ところに憧れるものだ。そして、田舎暮らしなどというと誰でもできそうに思うかもしれないが、現実問題としては、できない人がほとんどなのである。実際に住んでみればすぐにわかることだが、たいていの人はすぐにすることがなくなり、退屈で、寂しくて住んでいられなくなる。とにかく刺激がない。人は刺激がない生活には耐えられないのである。

小説家や画家、陶芸家といった人たちならかまわないだろう。こういう人たちは、一日中やることがあるだろうからだ。だが、普通の人々に田舎暮らしは、よほどのことがない限りは不向きなのではないか。

ここ近年、サラリーマン生活に疲れた若い人が田舎にUターンしたり、過疎になった漁村や山村に移り住む例を新聞やテレビで見聞きするが、そこでうまくやっている人はごく一部の人である。とくに定年退職後の老後は夫婦二人で田舎に、と考えている人が結構いるようだが、私はそれも考えものだと思っている。逆に、年を取ってからこそ、新宿や池袋といった都心のごみごみしているところのほうがいいのではないかと思うのだ。

年を取るにしたがって寝つきが悪くなるらしいが、そんな時、周りに何もない田舎だと、ただ悶々《もんもん》と時の過ぎ去るのを待たなければならない。それはたぶん耐え難いことであろう。だがもしそこで、ちょっと外へ出れば近くに本屋があったり、ラーメン屋が朝方までやっているとか、深夜映画をやっているということであれば、気がまぎれる。一日中人がザワザワしているくらいのほうが気晴らしになるし、頭の刺激にもなる。少なくとも、孤独をまぎらすいろいろなものが都心にはある。だから私は、老後こそ都心暮らしを考えたほうがいいのではないかと思っている。

こんなところに〝逆発想〟が生きてくる

よく、老後の田舎暮らしでゆっくり本でも読みたいなどという人がいるが、そんなに本を読むのが好きなら、若い頃から文科系学者をめざしているはずだ。学者になっていないのなら、本を読むことにはそれほどは向いていなかったということなのだ。だから、このような人こそ、いっぱい本をかかえていっていざ田舎暮らしを始めると、一週間もしないうちに読書に飽き、やることがなくなって苦労してしまう。

大人になってからたまたま都会暮らしをしているだけで、小さな頃からずっと田舎に住んでいて、アユやヤマメ釣りの技術があるとか、あるいはきのこの種類がわかってきのこ採りができるというような人なら大丈夫だ。子供の頃からの記憶があるから、田舎暮らしも苦にはならないだろう。けれども、そのような記憶のない人にとっては、田舎暮らしほど退屈なものはないことを知っておくべきだと思う。

その何よりの証拠が社員旅行だろう。社員旅行は多くの場合、「山青く、水清き」ところへ行く。都会での仕事に明け暮れているから、そういうところで命の洗濯をしようというわけだ。森林浴をして、温泉にゆったり入って、夜は宴会で盛り上がるというのが一般的なパターンだろうか。田舎にみな、満足するのである。

しかし、だからといって、同じところに二晩も泊まるようなスケジュールを立てようものなら、その幹事は総スカンを食らうことになる。外出しようにも、昨日すでに行ったところばかりになるので、全員退屈してしまうからだ。

それくらい田舎というのは刺激がなく、飽きるものなのである。それを勘違いしてしまうと、とくに年を取ってからの田舎暮らしは失敗する。

もしも私が実業家なら、田舎暮らしなど念頭に置かずに事業計画を立てる。たとえば新宿の歌舞伎町あたりのビルを買って、上の階に老人ホームをつくる。下の階にはラーメン屋があったり、焼き鳥屋や居酒屋、喫茶店と飲食店は何でもそろっていて、映画館まで併設されているというのはどうだろう。時々は、ちょっとエッチな映画が上映されたりすれば、老人たちには楽しいところなのではないかと思う。

気が向いた時にエレベーターで下りれば、すぐ目の前に映画館があったり、映画が終わったら併設の寿司屋やそば屋へ入れたりする老人ホームなんて、まるでワンダーランドのようで、これなら当たると思う。また、介護してくれる若い人も嫌がらずに来てくれるのではないか。老人ホームを「山青き、水清き」ところにつくってしまうから、若い人に敬遠されるのだ。新宿や渋谷あたりなら、誰も文句をいわずに来てくれると思うのだが、どうだろうか。

それはともかく、普通の人は、周囲にある程度の刺激があったほうが暮らしやすい。だから、年を取ったなら、なるべくなら都心に住むことを考えたほうがいい。

もちろん、子供を育てなければならない時期は、都心では家賃も高く、そのうえ間取りも狭くて子育てには不都合だから、郊外で暮らすのもやむを得ないことだろう。

けれども、子供が大きくなって一人前になったならば、郊外の広い家は息子に売るなり、譲るなりして、自分たちは狭くてもいいから都心に住む。そして楽しみを、部屋の中にではなく、ドアの外に求めるように心掛ける。

このように、じじむさく暮らさないためには、逆転の発想が必要なのである。

老人にとって、部屋など広くなくてもいいのだ。狭いほうが掃除も何も楽にできる。そういうインドアのことに気を使うのではなく、目を外に向けたほうが、長生きにもつながっていくと思うのである。

イギリスだからできる本物の〝カントリー・ライフ〟

老いも若きも、〝田舎暮らし、田舎暮らし〟と、まるで、生活のすべてをバラ色に変えてくれる奇跡の泉のようにいうのはやめることだ。イギリス人のまねごとをする必要は何もない。イギリスの田舎暮らし、カントリー・ライフと日本のそれとでは、考え方もまたスタイルも全く違うからである。

日本人に比べると、確かにイギリス人は田舎が好きだ。というよりも、田舎に暮らして馬や羊を飼ったり、犬の世話をしたり、釣りをしたりして生活するというのが高級なライフスタイルだという通念がイギリスにはある。だから、イギリスの田舎の家は驚くほど立派なのである。

これに対して、日本にはそのような通念はない。そのうえ、戦後の農地改革で田舎の大地主や大金持ちがいなくなったため、イギリスのような田舎の広大な屋敷もなくなってしまった。

日本にも昔は、千坪ぐらいの屋敷が田舎にいっぱいあった。それよりも広大な一町屋敷というのも、どの村にも一つぐらいはあったものだ。そしてそういう屋敷を持つ地主が、その土地の文化を支えてきたのである。

そういう時代なら、田舎に引っ込んで悠々と生活するというイメージは、一つの文化的な生活様式として考えられただろう。

千坪とはいかなくても、五百坪ぐらいなら優雅に暮らせるかもしれない。敷地の中に池もつくれるし、白鳥でも飼って世話をすれば楽しく暮らせるだろう。それこそ今流行のガーデニングにしても、あり余るほどできると思う。

しかし、今やそうした屋敷がなくなったとなれば、田舎の小さな家と東京の小さな家とどっちがいいのかとなれば、東京の小さな家のほうが住みやすい。日本では、田舎暮らしは高級というイメージにはなり得ないのである。

イギリスの田舎暮らしというのは、本当に大規模な生活様式のことをいう。だから彼らは、田舎の広大な屋敷に住み、ロンドンのような大都会へはたまに出るだけというライフスタイルを好んだ。

田舎に住むことが、いわば人生の目的となっているのである。私の知人の外交官や大学教授はみなそうだ。そしてこれが実に楽しいという。

こういう笑い話があるくらいだ。

マレーかインドか、要するにかつてイギリスの植民地だったところでの話だ。

現地の労働者が暑いせいで休んでばかりいて、一向に働こうとしない。業を煮やした現場監督のイギリス人が、「どうしてお前たちは働こうとしないんだ」と現地人を叱責した。するとと彼は逆に「マスターはどうして働くんですか」と聞いてきた。そこでイギリス人は、「人間は一所懸命に働かなければならないものだ」と答える。と、またまた「一所懸命に働いてどうするんですか」と聞いてきた。

「私はイギリスへ帰って田舎の土地を買って、そこへ住むために働いている」と正直に答えたところ、「田舎で何をするんですか」という。

「そこでゆっくり休むんだ」というと、彼らは笑いながら、「われわれは、もう休んでます」といったというのである。

本当にあった話なのかどうかはわからないが、笑い話にも出てくるほど、田舎に住むことはイギリス人にとっての理想なのである。

単なる〝逃避〟と〝ステータス・シンボル〟とは大違い

日本ではすでに絶えてしまったこのような伝統は、イギリスでは、貴族に残ったのだ。貴族たちは、みな大きな屋敷を地方に持っていて、一部がそれに加えてロンドンにも家を持っている。カントリー・ハウスとロンドンのシティ・ハウスの両方を持っているのが理想なのだが、ロンドン・ハウスがない貴族は、ロンドンに来た時にはホテルに泊まる。

こうして、シーズンといわれる冬場にはロンドンに集まり、夏になると田舎へ帰ってしまう。都会に暮らしていて時たま田舎に、ではなく、あくまでも本拠は地元、田舎なのである。

そのようなカントリー・ハウスの一つを私は知っているが、それは、これなら住んでみたいと一目で思わせる、広大で素晴らしい屋敷だった。

本当のカントリー・ハウスを知っている日本人はあまりいないと思うが、イメージとしては、明治維新が起こらず、徳川時代からそのままずるずると近代化した大名の屋敷と考えるとわかりやすいかもしれない。地方には殿様の住む城があり、家老は家老で自分の土地に住んでいる。そして、夏場は自分の城ですごし、冬だけ東京なら東京、大阪なら大阪に集まるのだ。

もしこのようなライフスタイルが成立していたら、日本においても田舎暮らしは高級な生活スタイルという伝統も育っただろう。しかし、そうした大名が日本の場合には潰されてしまったわけだから、田舎暮らしの伝統も何も残らなかったのだ。日本の旧大名家で本邸を旧領において生活を続けているのは、旧庄内藩の酒井家（鶴岡市）だけだと聞いたことがある。

イギリスにはいまだにそのような屋敷が田舎に残っていて、今でも当主が住んでいる。この田舎暮らしが憧れの対象となったのだ。

こう見てくると、今、日本で流行っている田舎暮らしは、残念ながらだいぶスケールが小さいということがわかってもらえると思う。というよりも、何だかんだと理屈をこねているが、要するに、単に都会生活からの逃避という形の田舎暮らしにすぎない場合のほうが多いように見える。そこでいくら丸太小屋をつくって喜んでみても、また、そこでトマトやキュウリをつくってみても、それはカントリー・ライフとしてのステータスにはならない。

本当のカントリー・ライフをやりたいのなら、千坪屋敷を持つぐらいでなければならないだろう。だがそのためには、経済的にも相当優雅でなければやっていけない。仕事をしながら田舎暮らしをするなどというケチな考え方ではダメなのだ。金利や株の配当だけで食えるくらいの経済的な余裕がなければ、カントリー・ライフなど望みようもない。

こうした生活が可能になる社会だったから、イギリス人は植民地へまで行って頑張ったのだ。かつてイギリスでは植民地で努力すれば、軍人でもどさっと多額の年金をもらうことができた。そうすればそれだけで十分、田舎暮らしができたのである。

彼らにとって、田舎暮らしは退職後の目的だった。軍隊で活躍して年金をもらって、たとえば南イングランドのカントリーに入る。そして、五百坪も千坪もある土地に屋敷を建て、好きなガーデニングをしたり絵を描いたり、あるいは釣りをしたりして毎日を送る。それが田舎暮らしなのである。

流行に踊らされて田舎暮らしなどを考えることはない。今の日本は、かつてのイギリスのような状況ではないからだ。

田舎暮らしに慣れ親しんできた人、本当に田舎が好きという人はもちろん別だが、そうでなければ、「山青く、水清き」ところというイメージだけに惑わされると、かえって失敗する。であれば、都会のメリットを生かした、刺激のあるライフスタイルを楽しんだほうがいいのである。

9章

これが、これから十年の鍵をにぎる「生命線」！

情報の「生かし方」一つでこれだけの大差がついた!

二十一世紀のこれからの十年に求められる人材を考える時、とくに国家を視点に置くと、まず、日本国籍を持った大金持ちをつくることが必要になってくると思う。なぜなら、この〝大金持ち〟こそが情報と密接な関係を持っているからである。

二十一世紀が高度情報化社会になることは確実視され、コンピュータの技術開発やソフト開発が叫ばれている。それはそれでいいことだろう。その分野では、日本は今や世界のトップレベルにあることも事実だ。

だが、こと国に視点を置いた場合には、技術開発その他はもちろんだが、それ以上に、情報をいかに集め、いかに利用し、またどのように対応していくのかということが重要になってくる。国家というのは結局は情報次第で大きくもなり、またダメにもなっていくのだ。そしてこの〝情報収集〟の部分に、大金持ちが大いに関わっているのである。

世界の近代史を見ても一目瞭然だ。近代に入って世界を制覇したのはイギリスである。イギリスは海洋国家として発達したが、同時にまた、情報でも常に優位を占めていた。そしてその重要な情報の多くは、ユダヤ人の金持ちたちによってもたらされていたのである。

とくに十九世紀以降のイギリスは、ユダヤ人の使い方が非常にうまかったのではないかと思う。ユダヤ系の国際的な金融資産家、ロスチャイルド家が活躍したのもイギリスである。財閥をつくり、今でもシェル石油会社などを支配している。

また前にも書いたが、十九世紀の後半に保守党の総裁、そして首相にまでなったディズレーリもユダヤ人だった。イギリスは他のヨーロッパ諸国に比べると、ユダヤ人に対する偏見が少ないのである。

このことが、イギリスにどういうことをもたらしたか。

今でこそ国際化ということが当たり前のようにいわれているが、かつては、国家間のあらゆることは国境によって仕切られていた。人も経済も、それを跨《また》ぐことはなかなかできなかったのである。

そのような中にあって、ローマ・カトリック教会とユダヤ人だけが国境を超える例外的な組織だった。当然のことながら、この二つの組織がもたらす情報がヨーロッパにおいては非常に重要な役割を担うようになる。

ローマ・カトリック教会は、主として宗教における情報を全ヨーロッパに提供し、とくに外交面において重要な役割を果たしていた。これに対してユダヤ人は、経済関係の世界中の情報を握っていた。イギリスはユダヤ人から、この情報を仕入れていたのである。

そのいい例が十九世紀半ばにつくられたスエズ運河だ。スエズ運河はイギリス人が掘ったものではない。にもかかわらず、開通するや否や、イギリスはその株をエジプト政府から買収する。これもユダヤルートの情報が入ったからだった。しかも国会が休会中で議決ができないにもかかわらず、ユダヤ人のお金を使って買っているのだ。

実はこの情報は、ロスチャイルドが当時の首相ディズレーリ（ユダヤ人）を晩餐に招いてそこでささやいたものであり、金もロスチャイルドが貸したのである。

この買収は、スエズを押さえることがいかにイギリスの極東政策にとって重要かをイギリス政府が早くつかんでいたからこそ可能になった。二十世紀前半からのインド支配に代表されるイギリスの極東政策を見れば、この情報がいかに的確であったかは歴然としている。

ここでも「イギリスのやり方」が大いに参考になる

周知の通り、ユダヤ人は有史以来ずっと迫害されてきた民族である。彼らはその迫害の歴史から、一つの国に頼りすぎるのは危険だということを十二分に知っている。為政者が変わればいつ迫害されるかわからない状況に常に置かれていたために、国境に縛られることなく、その経済活動を行なう必要があった。

ここから、一族を一カ所に集中させずに各地に分散させるという知恵が生まれた。ロスチャイルド家を見てもわかるように、ユダヤ人は兄弟や有能な人材を実にいろいろな場所や分野に振り分けている。長男はフランクフルトに、次男はウィーンに、三男はロンドンで四男はナポリ、末弟はパリにそれぞれ定住といった具合だ。あるいはまた、保険業や鉄道業もやれば、宝石業や胡椒業もやるのである。

これらがみな一族であれば、必然的に巨大な情報のネットワークができ上がってくる。こうしてお互いに緊密に連絡を取りながら、各々の経済活動を行なうのである。

ではなぜイギリスだけが、このユダヤ人の情報ネットワークを利用できたのか。それは前にも見たように、イギリスが比較的早い時期からユダヤ人をあまり差別せずに、貴族に取り立てたり、首相にしたりしてきたからである。迫害されなかった見返りに、世界中のユダヤ人がイギリスの後ろ楯となった。そのため経済活動に関する世界各国の情報が、ユダヤ人を通してイギリスに集中して入ってくるようになったのである。

十九世紀から二十世紀前半にかけてのイギリスは、まさしく情報大国でもあった。情報を制する者が世界を制するとすれば、まさにこのおかげで七つの海をも制する大国となり得たのである。

ユダヤ人はまた、日露戦争の時にも情報提供している。

日露戦争で日本が旅順港を攻撃しようとした時のことだ。日本は、ロシア側が旅順にどれくらいの要塞をかまえているのかがわからなかった。これがわからぬままに攻撃すれば、莫大な被害を被ることにもなりかねない。だから是が非でもこの要塞の状態を知る必要があった。

そこで日本は密偵をシナ人の労働者、当時は苦力《クーリー》と呼んだのだが、そのクーリーに化けさせて、旅順の様子を探ろうとするのだが、警戒が厳しくてうまくいかない。

イギリスは、同じことをどうやったか。なんとロシアにセメントを売り込んだのである。要塞をつくるにはセメントが不可欠だ。しかし、シベリア鉄道が完成していない時だから、ロシアの内地から運ぶわけにはいかない。海から運ぶとなればイギリスの商船を使うより仕方がない。こうして、どこにどれくらいのセメントが使われているのか、つまりどこに、どれくらいの規模の要塞があるのかを知ることができたというわけだ。

セメントを売ったのはもちろん、商売上手なイギリスのユダヤ人たちだ。同様に要塞の設備や道具を堂々とロシア側に売ることで、イギリスは旅順の西側、二〇三高地のほうは防備していないということまで知っていた。それもこれもすべて、ユダヤ人からの情報だったのである。

クーリーに化けてなどといった姑息《こそく》な手段など利用せずとも、金持ちを利用すれば簡単に情報は入手できるという好例だろう。国家という大きな単位においてさえ、金持ちを甘く見てはならないのである。

その証拠を、日露戦争後のポーツマス条約の時にも見ることができる。この講和条約締結のロシア側代表は、ウィッテという政治家だった。彼は、シベリア鉄道の建設に関係し、大蔵大臣をつとめた男だ。

ウィッテはポーツマスへ向かう途中でベルリンに立ち寄っている。そして、そこでベルリンのユダヤ人の銀行家たちと会っているのである。

ロシアの戦費の大部分は、同盟国であったドイツとフランスの銀行家によって賄《まかな》われていた。しかし、ウィッテが立ち寄った時、銀行家たちは口をそろえて次のようにウィッテに言い渡すのである。

「ロシアは陸軍でも負け続きで、海軍は日本海海戦で負けたためにもうなくなっている。そのうえ、国内はいつ革命が起こるかわからない不穏な状態にある。こういう状況では、もう金を貸すことはできない。だから是が非でも講和条約を成立させてください。そうでなければもう融資は差し止めます」

ロシアにはもうユダヤ人の金持ちたちに借りるよりほかに資金を調達する手もなかった。

だからこそ、ウィッテは頑張って自国に有利な講和条約を結んだのである。そしてこの講和条約の成功をまっさきに誰に知らせたかというと、特命全権大使として派遣してくれたロシア皇帝ニコライ二世ではなく、かのユダヤ人銀行家たちなのである。

講和条約は成立した、だから今後も融資を続けてほしいという電報をユダヤの銀行家メンデルスゾーンに打ち、その後で皇帝に知らせている。それほどロシアにとって、ユダヤの大金持ちたちは重要な位置を占めていたということだ。

この条約によって樺太は日本とロシアとで二分されることになったのだが、もしもウィッテの動きやロシア側の事情を知っていたなら、日本はへたな譲歩などすることなく樺太全島ぐらいは簡単に取れていたと思う。

つまり、もしもあの時、ユダヤ人の銀行家や大金持ちの一族が日本国籍を取って日本に住み、社会的にも重要な地位についていたら、確実にウィッテの動きを日本側に知らせてくれただろうということだ。それがなかったがために、日本は戦勝国であるにもかかわらず、ポーツマス条約で割を食うことになってしまったのである。

このように、大金持ちたちの情報のネットワークは、一国の動向をも左右してしまうものなのである。

スパイや情報局員がもたらす単なる情報ももちろん貴重だが、お金と結びついた情報というのはもっと重要だ。だが残念ながら、このお金と結びついた情報に鈍感であるというのが、その後の日本の伝統ともなってしまう。

日本人は難しい試験に通ることだけで精いっぱいで、そのような実学的なことには反応できないのだ。もっともっと、お金と結びついた情報への目配りがなされなければならないと思うのである。

アングロ・サクソンは「金の力」をとことん知り尽くしている

イギリス人の特色には、ねばり強いとか違った意見に対しても寛容であるとか、いろいろとある。そしてもう一つ、彼らは金の力についてとことん知り尽くしているという特色を持っている。このことについては、とくにイギリス人は際立っているといえるが、アングロ・サクソンはおおむねそうなのだ。日本人が鈍いのとは対照的である。

たとえばバブルの時にしてもそうだった。日本が高度成長し、技術大国になること自体は、外国にとやかくいわれることでも何でもなかった。ところが、バブル経済になって金融大国になった途端に、日本は、たとえばアメリカの土地や建物や企業をつぎつぎと買い始める。

アメリカにしてみれば、自分の体を小刻みに切り刻まれるようなものである。アメリカに限らず、このようなことをされれば誰だって面白くはない。当然、反発してくる。反発にとどまらず、日本潰しにかかってきた。アングロ・サクソンの一つの特色かもしれないが、彼らはリベンジは徹底的にやってくるのだ。

そうするとどうなるか。主に試験だけで鍛えてきたにすぎない日本の官僚は金のことについてはまるっきりの素人だから、ものの見事にはぎ取られてしまう。アメリカ側にしてみれば、アメリカの軍事力の傘の下にある国のお坊っちゃま官僚を相手にするなど、赤子の手をひねるようなものだった。

こうして、せっかく買い集めた建物も何も、今や安くたたき売らなければならなくなっているのである。要するに、日本がいかに国際情報にうといのかを露呈しただけだったのだ。彼らアングロ・サクソンが、お金についてはどのような習性を持ち、またどのような動きをするのかを知っていなければ、さらに内部でどういう国際情報が流れているのかがわかっていなければ、コケにされてしまう。

一九八五年にニューヨークのプラザホテルで開かれたG5（先進五カ国蔵相中央銀行総裁会議）においてもしかりだ。いわゆるプラザ合意と呼ばれるものだ。

アメリカがいい出して急遽《きょ》開催されたため、緊急蔵相会議とも呼ばれるが、緊急とはいえ、日本以外の国はみな、どのようなことが話し合われるのか前もって知っていた。アメリカはもちろん、イギリス、西ドイツ、フランスの四カ国は、国際情報をやりとりしているから、経済の不均衡是正のための国際協調を謳いながら、その実は何をやろうとしているのかがわかっていた。それを回避する方法を知らないのは日本だけだった。

つまり、円高の押しつけだったのだ。当時の竹下大蔵大臣がニューヨークのプラザホテルに入る前から、それは明々白々の事実だった。本当の内輪の情報を手に入れていなかったために、国際協調の名のもとに急に円高を押しつけられて、その後の対応にあたふたしてしまったのである。

国際間のやりとりの中では、黙って見ていて本音の情報など入るはずがない。ロックフェラーやモルガン本人がそのような席に出席したり、表面に出てきたりしては問題になるから、本番の会議で重要な情報が手に入るはずがないのだ。

ではどうするのか。公式の席ではなく、私的なつながりの中で情報を交換するのだ。これぐらいのことができなければダメなのである。会議の席で初めて会うのではなく、何か重要事項があれば、お互いに自宅や別荘に呼び合う。そこで私的に話し合って、お互いの本音の部分を出し合ってみなければ、本当の情報は入手できない。

しかし、日本の誰が国際的大財閥の当主と個人的交際を持っているだろうか。外国の要人を私宅へ招いて接待できるくらいの大金持ちが日本にいるだろうか。残念ながら今のところは〝ノー〟である。だから、大財閥の重要情報が入ってこないのである。

最重要情報は〝大金持ちルート〟で流れる

どうして日本に、ユダヤ人の大金持ちとも私的に対当につき合うことができるほどの金持ちがいないのか。これは財閥解体の名目で、金持ちがみな、戦後に潰されてしまったからである。

アングロ・サクソンは、金がいかに重大な力を持つのかを十二分に知っていた。そのような絶大な力を持つ財閥を日本に存続させておくのは危険極まりないということで、いっせいに潰してしまったのである。

べつに、財閥が戦時中に何か悪いことをしたわけでもない。確かに軍の注文で武器等はつくったが、満州へ進出したわけでもないし、戦争に口を出したわけでもない。財閥は戦争に対しての発言権はゼロだった。大金持ちが戦争に対して発言権がないというのは、実は世界史上では不思議なことなのだが。それどころか、日本の金持ちたちはむしろ暗殺を恐れてビクビクしているのである。

日本は本当ならば財閥がまだ存在していた頃から、彼ら金持ち同士の情報ルートを積極的に使うべきだった。三井や三菱や住友などの総本家の子供たちが欧米のユダヤ人の金持ちたちと結婚し、これらと姻戚関係を結ぶぐらいのことが必要だったと思う。それが日本のためにも良かったはずなのだ。

だが、残念ながら日本にはそのような感覚がなかった。その点、アングロ・サクソンはシビアに反応する。

話は戻るが、とくにイギリスがユダヤ人をうまく利用できた理由、つまり民族に対する偏見があまりなかったのは、イギリスがもともと、イングランド人やスコットランド人、ウェールズ人といろいろ混ざり合って一つの国を形成していたことにある。だから世界的にも嫌われていたユダヤ人に対しても、とくに大都市などにおいては比較的早い時期からさほど差別しなかったのである。

そういう点からいえば、日本もユダヤ人を迫害したことはない。だから、ユダヤ人は全体としては日本に好意的だった。

しいて反感があるとすれば、ヒトラーの国と同盟してしまったことだろう。こんな馬鹿げたことを、いかにも西欧通ぶってやってしまったのが松岡洋右《ようすけ》という外相なのだが、この男はユダヤ人の重要度など全くわかっていなかった。没落した家から出た秀才の松岡には、大金持ちルートの世界情報が入ってくる余地はなかったのだと思う。

今振り返って想像するに、ヒトラーと組むことが日本にとって将来いかに不利になるのかということを読み得た日本人はいると思う。おそらく財閥系の人は読めたはずである。だが青年将校や右翼がテロをやるものだから、黙っているより他にしようがなかったのだろう。今にして思えば残念なことだった。

要するに、国際的な情報をつかむには、マネー・ルートともいうべき大金持ちたちの情報ネットワークを使うのが最も手っ取り早く、またそれが一番正確なのだ。だからこそ、二十一世紀には日本国籍を持つ大金持ちをつくることが、国にとって必要なのである。

このためには、相続税をゼロにするというような減税が必要になる。減税反対を叫ぶようでは仕方がない。減税に反対する人というのは、つまるところは他の者、とくに金持ちには多く納めさせろというわけなのだろう。そういう根性ではダメなのだ。いつまでたっても一流の金持ち国家にはなれないだろう。

昔、年貢を下げることに反対の農民はいなかっただろう。それは農民はみんな年貢を納めていたからだ。「減税反対」は本質的には「年貢切り下げ反対」ということだ。年貢(税金)をあまり納めていない人たちの嫉妬の叫びであり、それを社会正義とか逆累進とかいって誤魔化しているのである。

〝英語ができる〟をみんな大誤解している

以上、二十一世紀の国としてのあり方を見てきたが、二番目に、では社会や企業のリーダーとなる人はいかにあるべきかを考えてみよう。これについては、本当にいろいろな要素が考えられるが、その中でも最も現実的な問題としてあげられるのは、英語ができるということだ。

ここでいう英語とは、英会話教室などでやっているような英会話のことではない。海外旅行か何かをして、店の店員をつかまえて「ハウ・マッチ？」などというようなことができるからといって、あるいはうまく値切ることができたからといって、そんな会話力はどうってことはない。その程度の英語なら、ちょっと習えば誰だってできる。

頭が良かろうが悪かろうが、イギリス人やアメリカ人は英語を話すわけだし、同じように日本人は日本語を簡単に話すことができる。格別に習わなくても、日本語や英語が話される場に置かれれば、誰でもその国の言葉を話すようになる。ここで問題にする〝英語ができる〟というのは、そのように単に話せることとは違う。

では、どのような英語が社会のリーダーたちには必要なのか。それは、国際舞台できちんと議論ができるような英語である。

このレベルの英語を身につけるには、まず、大学受験の受験英語がよくできるくらいの頭脳がなければならない。つまり、まず第一に英語で読み書きができるくらいの能力を持つということだ。

英語に限らず、外国語で読み書きがきちんとできるというのは、昔でいえば、漢文の素養があるのに等しい。漢文が読め、また漢詩が書けるのは、だいたい知能指数が一二〇から一三〇ぐらいの人だといわれていた。それぐらい能力的に高いものが要求されていたのである。

英語の読み書きにしても同様だ。私の経験から言っても、たとえば旧制中学に進学できる者は、日本の男子の約一割ぐらいのものだった。それくらい高い能力が必要だったのである。

そしてその中で、英文和訳も英作文もちゃんとできる者といえば、クラスに五人いればいいほうだった。大まけにまけてもクラスの一割、一〇パーセントしかいなかった。

つまり、日本全体でいえば、一〇パーセントの一〇パーセント、つまり日本男子の一パーセントぐらいしか、英語でしっかり読み書きできる者はいなかったことになる。そしてこれは、今でも同様だと思う。英語ができるということは、それくらい難しいものなのだということをまず悟る必要がある。

事実、能力のある者は難しい中学に入り、難しい高校に入る。そして、文法もわかるようになる。「副詞句は文全体を修飾する」という場合の句の意味がわかり、だから副詞節というものがどういうものなのかがわかる。

つまり、それぐらい抽象的なことを理解できないと話にならないということだ。単に話せるということとは、レベルが違うのである。

このような力のある人が、高校時代あるいは大学時代という、まだ海のものとも山のものとも知れぬ時期に、英語圏の国に留学するのがいい。そうすると、今度は会話が非常にうまくなるのである。

私はたくさんの生徒に英語を教えてきたからわかるのだが、ＡＦＳ（アメリカン・フィールド・サービス）という奨学金制度でアメリカへ行ってきた生徒たちは、みな英語がうまい。高校生の中でもできる生徒の中から選んでホーム・ステイさせるわけだから、当然といえば当然なのかもしれないが、それにしても本当にうまくなって帰ってくる。これは、ただ単に英会話学校に通って英会話を勉強したのとは違って、すでに文法に対する抽象的な理解がきちんと備わっているところで留学したから上達したのである。

〝お客さん〟でいるうちは到底太刀打ちできない

そしてさらにいえば、このように留学した学生たちが、アメリカやイギリスの大学で、博士号の必要はないが、学士なり修士なりのディグリー（学位）を取ると、状況はまた一変してくる。専門は何でもかまわない。とにかくディグリーを取る。すると、日本から来た単なる〝お客さん〟ではなくなるのだ。この〝お客さんではなくなる〟ということが大切なのである。

これはどういうことか。大学側がディグリーを出すというのは、試験をしてそれに合格したという証明を与えるのだから、大学としての威信にかかわることである。だからそうやすやすとは出さない。きちんと試験をし、正当な評価を与えたうえでなければならない。だから、そのような試験に合格すれば、大学側からも認められたことになる。そしてそれは、お客さん扱いはしませんという証でもある。また、同様に試験をめざす者たちから競争相手と見なされることにもなり、ここでもお客さんではなくなるのだ。

ディグリーを取ることによって、お客ではなくて対等になり、いろいろな体験をすることが可能になる。これがつまり、国際舞台でも対等でいられる下地をつくることになるのである。

海外留学といっても、学位を取るのが目的ではなく、単に大学の語学学校で学んで来たというだけの人をよく見かけるが、それはそれでいいとしても、大学にしてみればディグリーを出さなくていいわけだから、いいお客さんなのだ。

授業料さえ納めてくれれば、遊ぼうが何しようが大学は文句をいわない。むしろ、授業料は払って、遊んでくれたほうが手間がはぶけていいのかもしれない。というわけでディグリーを出さなくてもよくて、いい収入源になるので、どこの大学でも語学学校が盛んになっているのである。

ただ単に英会話を学ぶだけなら、日本の会話学校に通うよりこのほうがマシだろう。しかし、お客さん扱いされている以上は、やはり対等とは見られていない。

また、官庁のキャリアになってから留学し、ディグリーを取るという人もいるようだが、これも実はあまり意味がない。今は、国家公務員のI種試験に合格すると留学させてくれる。大蔵省でも通産省でも留学体験をさせて、国際感覚を身につけさせようということなのだろうが、この場合の留学は、すでに高級官僚という肩書きつきだから効果が薄いのだ。

留学先の大学からしてみれば、彼らはやはりお客さんなのである。日本に帰れば確実に偉くなっていく人材だからへたに扱わないほうがいい、という感覚なのだ。あるいは、ひょっとするとこいつの担当教授になっていれば、出世してから研究資金を援助してもらえるかもしれないと思う教授がいるかもしれない。だから、学生がさしたる苦労をしていなくても論文を通してしまう。

それに、たとえば通産省の高級官僚が留学したとすると、彼らはすでに、日本の貿易政策については留学先の教授たちよりもずっと多くのことを知っている。そういうことを論文に書けばいいわけだから、これなら簡単にパスできる。多少なりとも勤勉にやっていればディグリーが取れる。教授たちにしてみれば、厳しい指導などする必要がないお客さんということになる。

これではダメなのだ。ディグリーといっても、厳しい競争や審査の中で取ったものではない。これでは、対等とはなり得ないのである。

実力できちんとディグリーを取った人の会話力というのは、国際舞台でも十二分に通用する。仲間や教授と英語でひっきりなしに討論し、その上でディグリーを勝ち取っているわけだから、その会話力は国際的な討論の場にも十分堪え得る。

これに対して、お客さんでディグリーを取った人の会話力は、ある程度の意思疎通はできるだろうけれども、討論の場では堪え得ない。厳しい討論など必要がなかったからだ。だから、国際舞台で激しく討論をしなければならない状況に置かれると、たいてい日本人は黙るより仕方がなくなってしまう。二十一世紀、ますます国際化が進むと予想される中で、これでは日本は不利になる。

そうならないためにも、高級官僚試験というのを資格による選別にしたらいいと思う。英語なら英語での討論資格のある者、つまり官僚になる前の無冠の頃に、アメリカやイギリスで学士か修士のディグリーを取ることを応募資格にするのである。数は少なくてもいいからこういう人を高級官僚とし、給料はうんと高くして、退職後の待遇も良くする。そして、このような人に日本の公の立場を代表してもらえばいいのだ。

自分の〝ＩＤ〟を断固主張できないような人は失格

無冠の時に留学してディグリーを取ることには、実はもう一つ重要なメリットがある。それは、アメリカ人やイギリス人など欧米諸国の学生たちとはもちろん、少数とはいえ他のアジア諸国の学生たちとも厳しい競争にさらされる中で、否応なく、自分が日本人以外の何ものでもないことを思い知らされることだ。

大蔵省にしろ通産省にしろ、そこの官僚という立場で行った場合には、たぶんそのようなことを実感する機会はないだろう。偏見の目で見られたり、差別されたりはしないからだ。日本はすでに世界でも経済一流国となっているわけだから、逆差別、つまり優遇はあるだろうが、その逆は、こと高級官僚たちの留学にはあり得ない。

しかし、無冠で行った場合には、昔のような悪質な差別はないにしても、やはり、有色人種ということからくる偏見や差別を受けることになるはずだ。

そしてそのような時、自分はどんなに気取ろうが、どんなに外国人と同化したいと思おうが、日本人以外の何ものでもないということを身にしみて感じる。さらに、いわれなき誹謗《ひぼう》、中傷のたぐいには、日本人として敢然と立ち向かわなければならないと、つくづく感じるのである。黙していたのでは、いわれっ放しで、叩き潰されてしまうだけだからだ。

だから、たとえば、日本の真珠湾攻撃を楯に取って、お前たちは卑怯な民族だと謗《そし》られ、差別されたならば、何をいっているのか、真珠湾攻撃の五か月も前にルーズヴェルトだって日本を無警告、無差別爆撃するという決断を下しているではないか、と反論するだけの知識と度胸が必要なことが身にしみてわかる。

ところが、たいていの官僚たちは、そのような場に置かれたこともないから、差別の実感がない。だから、何をいわれても、のほほんと構えて弁明しようとしない。国を背負って立つエリートとして、これでは失格だろう。国の高官が弁明しようとしないから、間違ったことも、無体《むたい》ないいがかりも、すべて事実として容認されてしまうのである。

こんな〝基本的知識〟さえ知らないのでは無恥というしかない

このことに気づいたのは、私がアメリカの大学で教えていた時である。と同時に、私はアメリカにいる日本人たちが、あまりにも無知なのに驚いた。それで帰国して『日本史から見た日本人―古代編―』を書いたのだが、この本を読んでくれた帰国子女などから、今でも感謝の手紙をもらったりする。「中近東に何年も父と一緒に暮らしていたけれど、その時、心の支えになりました」といった具合である。

海外へ在住していると、否も応もなくアイデンティティの問題を突きつけられる。自分が生まれ育ってきた国、自分のよって立つ国が誹謗、中傷のやり玉にあげられた時、それに屈してみじめな思いをするか、毅然として反抗して立つかということだ。まさしく、日本人としてのアイデンティティが問われるのである。

女子学生の中には、ちやほやされて、〝ジャパニーズガール、オー、ビューティフル〟といわれていい気になって帰ってくる者もいるようだけれど、こと男子学生の場合にはそうはいかない。やはり、日本人として、きちんと立ち上がる必要に迫られる。

だから、帰国子女には、とくに男の場合には愛国者が多いのである。いわれっ放しというのは向こうの言い分を認めたことで、裁判で負けるのと同じだから、いわれたら、日本人としての立場で言い返さなければならない。国に対する考え方や思いが強くなるのも当然で、こうしてアイデンティティが明確になってくるのである。

反論するにあたって、難しい専門知識が必要なわけでも何でもない。ある程度の基本的な知識、弁論用の知識というのがあればいい。意外と気がついていないのだが、これがちゃんとあるのだ。

たとえば、中国人は必ずといっていいほど、シナ事変のことを持ち出してくる。日本人はシナを侵略したではないか、だから侵略民族だというわけだ。これに対しては、何をいっているんですか、開戦責任はあなたの国でしょうといってやる。これが重要なのである。

相手はきっと、エッという顔をする。さらに、あなたの国に開戦責任があるからこそ、あの東京裁判においてすら、日本に開戦責任を問えなかったんじゃないですか、と続ける。満州事変のことをいわれたら、満州人が満州の地に満州皇帝を立てて建国したがっていたのを助けて何が悪いんですか、と逆に問い返してやる。これで終わりなのである。

嘘でも何でもなく、すべてが事実だからだ。こういう簡単な、ちょっとした知識でも、その使い方によっては重要な武器ともなる。だからこそ、日本についての基本的な知識はしっかり身につけておかなければならない。戦後民主主義教育の、戦前、戦中の日本は全部間違いといったような、それこそ間違った知識は捨て去るべきだ。このような東京裁判で歪《ゆが》められた歴史観をうのみにしていたのでは、いつまでたってもアメリカや中国などに頭が上がらない。

東京裁判史観を押しつけられると頭を下げてあやまり、恐れ入ってしまうのもそうだ。日本人的な感覚からすれば、すぐにあやまるのはいい人間ということなのだろうが、欧米はそうは思わない。それもこれもすべて、無知から来るところが多いのだ。

中曽根康弘氏がかつて首相であった頃、靖国神社への参拝を中国側に遠慮して取り止めたことがあった。これがどれくらい非常識なことなのか、中曽根氏自身が知らなかったからこそ起きたことなのだ。外国から宗教に干渉されて首相が行事を取り止めるなど、日本以外の国では信じ難いことだ。

こういうことが許されるなら、どんな無理難題を押しつけてもかまわないだろうと考えるのが普通の国際的な感覚なのである。弱みには徹底的につけ込むというのが常識の世界だ。前回はこちらが遠慮したから、次回はあちらが遠慮してあまり強くは出ないだろうなどというのは、日本的な大甘の考え方だ。中曽根氏は若い頃の留学経験がないから、そのあたりの国際感覚がわからなかったのだと思う。

要するに、とくに欧米諸国と対等に討論できるくらいの国際感覚と、日本についての知識と英語力とがなければ、これからは通用しない時代になる。二十一世紀に入れば、そのことが観念としてではなく、身近な問題として実感できるようになるはずだ。発信する英語の必要性が身にしみて感じられるようになるだろう。何を主張するか、自分の意思を相手に正確に伝えるためにも、英会話や教育の場においても、もっとやかましくいわれるようになるかもしれない。

繰り返しになるが、英語には二つの顔があるということを知っておく必要がある。前述のような人口のせいぜい一パーセントか〇・五パーセント向けの英語と、それ以外の九五パーセント向きの英語だ。

前者がいわば昔の漢文にも匹敵する素養としての英語で、これは読み書きができる者向けだ。漢文は、できない者に教えるなどということはしなかった。これと同じで、ある程度のしっかりしたレベルを持つ者に教える英語というのがある。英語にも漢文と同じぐらい、いや、ある意味ではそれ以上の内容が詰まっているのである。

これからは、九五パーセントの大多数向けの英語と、〇・五パーセント向けの英語とに大別されるだろう。どちらを選択するかは、その人次第だ。そして、教育がそこまで割り切ることができれば、英語教育の実が上がると思うのである。

10章
自分を〝グローバル化〟できない人は滅びるしかない！

「グローバル化」にも進化論の法則が働いている

二十一世紀の日本社会は、ますますグローバル化していくことが予測される。世界のマーケットが一つになった時代に、これを避けて鎖国の状態でいることはできない。だがこの急速なグローバル化の波に対して、心配する人も少なくないようだ。

そこで、二十一世紀を迎えるにあたって、グローバル化とはどういうものなのか、そしてそれは日本および日本人にとってどのような意味を持つのか、さらに、そのような時代の波の中で、どのように生きていけばいいのかについて、あらためて考えてみよう。

グローバル化は近年の新しい動きのように思われがちだが、実は世界史的にはかなり以前から行なわれていた。それは、航海術の発達や羅針盤の発明、また鉄砲の発明といった時代にまで遡《さかのぼ》ることができる。近代の機械文明といわれるものが世界史に登場する頃から、人類は急速にグローバル化していくのである。

すでに十九世紀に、ハーバード・スペンサーは指摘している。

いろいろな文化が生まれてそれらが接触する時、弱い文化は壊れていく。強く優れた文化と弱い文化がぶつかると、弱い文化は壊れて崩壊の段階に入る。このとき、進化論の法則が働いて、弱い者は強い者に合わせていくような変化が起こるというのである。

　面白いのは、このスペンサーを、あのラフカディオ・ハーン（小泉八雲）が尊敬していたということだ。当然、スペンサーの考え方をハーンはその書物で読んでいる。彼が日本文化に興味を示した背景には、スペンサーの影響があるのだ。

　ハーンは旧日本の文化を、一つの完成した美であり、すでにでき上がった秩序を持つものと考えていた。そこへ、文明開化によって西洋の文化という当時にすれば強く、優れた文化が入ってくるとどうなるか。

　西欧文化のほうが強力であるから、当然進化論の法則が働き、日本の古い文化は崩壊し、滅びる。ラフカディオ・ハーンはそのことを非常に惜しんだのである。だから、作品の中で一所懸命になって古い日本の文化を描き、壊れていこうとする日本の様子を書き残そうとした。それが、一般に知られているハーンの姿である。

　ところがハーンは、自分が教えている学生たちには全く違うことをいっている。

　自分はスペンサーを尊敬しており、スペンサーの意見をその通りだと考えている。これからは古い日本は滅んでいき、日本も西洋化の時代に入っていくだろう。だから、文学などやるよりはエンジニアなどの道を選んだほうがいい……このように忠告しているのである。ある意味では非常に親切な助言ではないだろうか。

当時の学生がどう考えたかは知らないが、ハーンが尊敬したこのスペンサーの考え方が正しかったことを、戦後、証明した人がいる。ノーベル経済学賞を受賞したハイエク教授である。彼はスペンサーと同じことを指摘している。異なる文明がぶつかり合えば、その優れたほうが生き残る、と。

これは、スペンサーの言葉でいえば、「ザ・サバイバル・オブ・ザ・フィッテスト」(The survival of the fittest) である。つまり、「最適者の生存」、文化も同じように最適な文化が生き残っていくということである。

日本近代史の中の「グローバル化」

私は、三十年以上も前にハイエク教授の通訳をつとめたことがあるが、その時彼が次のような例を挙げていたのを思い出す。

イスラム文化は、今、西欧文化とぶつかっている。そうするとどうなるのか。医療を例にとると、この方面では西欧のほうが断然優れている。手術の技法にしても医薬品にしても同様だ。病気になれば誰でも治りたいわけだから、アラブ諸国でも、じきにこの進んだ医療を取り入れざるを得なくなる。こうしていつの日か、西欧の病院制度が導入されるようになるという。

面白いと思ったのは、これで終わりにならない点だ。西欧の病院制度と看護婦は切っても切れない関係にある。だから、看護婦制度も導入せざるを得ない。そうすると、いつかアラブ女性の看護婦も出てくるだろう。そこから職業婦人の観念も生まれてきて、次には女医さんも出てくるようになる。こうして、アラブ諸国もより優れた西欧文化のほうに変わっていくというのである。

病院制度までは何となく予想がついたが、そこからアラブの看護婦の話にまで発展していったのが、非常に印象深かった。アラブの女性たちは黒い布で顔を覆っているから、その姿と西欧のナイチンゲールたちの姿があまりにもかけ離れていて、具体的にイメージしにくかったからかもしれない。ともあれハイエク教授のこの話を聞いた時、なるほどな、と納得したのを覚えている。

考えてみれば、アラブの話を持ち出すまでもなく、日本における明治維新は、典型的なグローバル化の例である。しかも、非常にうまくいった数少ない成功例の一つだと思う。そしてグローバル化に成功したからこそ、日本は日露戦争にも勝利することができたのである。

ところがその後、日本はグローバル化を一時ストップさせてしまう。とくに日露戦争に勝利した軍人たちが、この流れを妨げるような態度を取り始める。その大きな理由の一つがロシア革命だった。

今とは違い、当時ロシアは日本の本当に近い隣国だった。この隣国が革命を起こして社会主義化したので、その脅威に対抗するために日本に右翼が登場してくるのである。

右翼と左翼との関係は、日本においては多少まぎらわしい点がある。その出現については、もともと右翼が存在していて、それに対抗する新しい勢力として左翼が登場したとなんとなく思われていることが多いようだが、こと日本においては違う。ロシア革命で左翼が登場したから、右翼が出てきたのである。

しかも、この右翼と左翼とは全く異なる考え方なのだろうと思っていると、これがまた違うのである。

戦前の右翼の綱領を見ればよくわかるが、とにかく、金持ちをなくせの、地主をなくせの、資本家をなくせのばかり。こういう平等化をして、天皇のもとに平等な社会をつくるというのが基本的な考え方なのだ。「天皇のもとに」ということを外せば、経済政策などは左翼の考えと同じなのだ。要するに、右と左の差は、天皇を立てるか立てないかの差だけなのである。これがまず一つ、ややこしくしている点である。

実はこの見解は私一人のものではない。昭和十二年から三度も首相になっている近衛文麿が、昭和二十年に昭和天皇に奉った上奏文の中にも出てくる。その中で彼は、だいたい次のようなことをいっている。

「自分が総理大臣を拝領した頃は、右翼と左翼とは違うものだと思っていた。ところがその後、両方とつき合ってみてわかったのは、右も左も同じだということだった。つまり、右翼と呼ばれる少壮軍人やそれを取り巻く新官僚たちが、共産主義革命をしようとしているということ。それに気づかなかったことを申し訳なく、責任を感じる……」

当時すでに、軍事官僚も、また新官僚といわれた一部少壮官僚たちも、日本で社会主義的な改革をしたいと考えていた。そしてそのためには、戦争を利用するのが一番手っ取り早いと考えたのである。そこで、シナ事変が起こる。起こしたのは蔣介石側だが、始まった戦争を止めさせまいとする勢力が軍人や官僚には強かった。戦争という名目で、あらゆる統制が可能になるからだ。こうして地代統制令に始まり、物価統制令と続々と統制されていったのである。

その後のソ連を見るまでもなく、統制経済こそが社会主義者たちのやりたかったことである。軍事政権という右翼勢力が統制経済をすることによって、左翼的な社会主義革命、つまるところは社会主義的なグローバル化を図ったのだ。近衛が喝破《かっぱ》したのはこのことだった。

もう一度まとめておこう。明治維新以来、日本は急速に西欧的な、つまりはアングロ・サクソン的なグローバル化をめざして突き進んできた。ところが、ロシア革命で社会主義国が生まれるや、右翼という形でこのソ連型のグローバル化にくっつこうとした。日本の右翼が社会主義を指向したということの部分が、今ではわかりにくくなっている。だから日本の近代はややこしく見えるのである。

しかし、よくよく考えると、実はこの動きは日本の軍部にとどまらなかった。ヒトラーにせよムッソリーニにせよ、みな社会主義政権だった。彼らもまた、すべからく統制経済を敷いて国家を牛耳ろうとしていたのだ。ヒトラーもスターリンも、やろうとしていたことは同じなのである。

ではなぜ、スターリンとヒトラーは戦争をしたのか。これは今の日本で革マルと中核がケンカばかりしているのと同じで、同じようなものだからかえって骨肉のケンカをしてしまうということなのだと思う。同類相哀れむ代わりに、どちらかといえば、近親憎悪となってしまったのだろう。

ともかく、戦時中に社会主義的な体制へと移行してしまった日本は、このような体制で戦った結果、太平洋の戦争に敗けてしまう。そして、再びアングロ・サクソン的なグローバル化の波に乗るようになるのである。

このグローバル化の波を端的に表わすのがガット体制だ。ガット（関税と貿易に関する一般協定）は、自由貿易の推進と世界貿易の拡大をめざす国際条約だが、日本は戦後十年たった一九五五年、この協定に正式加盟した。ガット体制に組み入れられることによって、戦時中の社会主義体制から完全に脱却したのだ。そしてその後自由貿易という新しいグローバル化を体験し、その波を乗り切っていこうとするのである。

この抜群の〝適応力〟には自信を持っていい

驚くべきことに、このグローバル化の波を日本は完全に克服する。

戦後の復興の中で一番早く立ち直ったのは、製造業だった。だからガットに加盟するや、まず、製造業においての自由化を迫られることになる。

当初は、それこそ月の裏側に人間を送れるくらいの技術のあるアメリカなどと競争すれば、日本はもたないかもしれないと不安がられたものだった。

とくに、心配して不安がることしかできず、それが役割だと勘違いしてしまっているマスコミは、ここを先途と警鐘を鳴らした。だが本当は警鐘でも何でもなく、ただいたずらに危機感をあおるだけの、いくじのないたわ言だったことがその後すぐに判明する。

というのも、自由競争した結果、日本は見事にグローバル化へ適応し、製造業においてはアメリカを凌ぐほどに成長してしまったからである。今や製造業においては、アメリカに勝ったといってもいいだろう。

それは自動車の生産を見ても明白だ。日本の自動車メーカーはアメリカでも生産しているが、アメリカの自動車会社はいまだに日本で生産するまでには至ってない。他の製造業においても、同様のことが起こっている。製造業に関してはグローバル化などとうの昔に終わっていて、アメリカに勝つに至っているといえるのである。

すべての産業においてグローバル化が進んでいれば、たぶん何の心配もなかったのだろう。しかし、残念ながら遅れた分野があった。それが農業部門であったり小売業であったり、金融業で、これらに今、グローバル化が叫ばれているのである。

とくに金融業については、大蔵省の管轄で、あの悪名高い護送船団方式によって手厚く守られていたため、製造業に比べるとほぼ二十年ほどグローバル化が遅れてしまった。そしてその間に、ソ連が崩壊してしまったのである。

従来、世界の経済圏は、ソ連を中心とする社会主義諸国などによって構成されるコメコン（経済相互援助会議）と、アメリカ、ヨーロッパ諸国による自由貿易圏によって大別されてきた。コメコンを構成する国の人口が自由諸国の人口よりも多くなった時代もあるくらいである。カーター大統領の頃だ。

ところが、それがソ連崩壊とともに一挙に崩れてなくなり、世界が一つのマーケットになってしまった。このマーケットに加わっていないのは、今や北朝鮮とキューバぐらいのものだ。このような大きな一つの、いわゆる地球規模のマーケットになった時、二十年もグローバル化の遅れていた日本の金融業界は大打撃を受けることになったのである。

だから、今、グローバル化の波に対処していけるのかとか、先行きが不透明だとか騒いでいるのは、実は金融業を筆頭としたグローバル化の遅れた分野だけなのである。

リストラや銀行の統廃合が始まり、何やら騒然としているように見え、マスコミはマスコミでオーバーな表現で脅しをかける。〝かつて例を見ない〟だとか、〝これまで経験したこともないような〟といった表現をひっきりなしに用いて、グローバル化の困難を強調しようとする。まるで日本が初めてグローバル化に遭遇するかのような感を与える。しかし、それをさも日本全体が遅れて不安がっているように考えるのは間違いである。

そんなことは決してない。これまで見てきたように、明治維新以来の短い時代の中でも、日本は何度となくグローバル化を体験している。そして、そのつどうまく適応してきているのである。だから、この今の金融のドタバタにも日本人はうまく対処し、再び世界に冠たる金融の王座に戻るであろうと、私は確信して疑わないのである。

この「節目・節目」の自己改革が何よりの強み

あたふた、じたばたする必要など何もない。日本ほど、グローバル化への対応のうまい国はないと考えていれば間違いないのだ。先に挙げた製造業を例に、このことを詳しく説明しよう。

製造業がアメリカよりもよくなった一つの大きな理由は、主に価格非競争物品の製造を手がけていることにあった。価格競争に左右されない物品は、円高になろうがどうなろうが関係なく売れる。工場を建てる時の材料や、あるいは製品の部品がこれにあたる。このようなものは、それそのものがなければ製品ができ上がらない、いわば必須アイテムだから、必ず売れる。

日本の場合は、たとえば十五兆円ぐらいの黒字になると、その八割ぐらいがこの価格非競争物品によるものといわれている。つまり、十五兆円のうちの十二兆円ぐらいは円高などには関係のない黒字で、残りの三兆円程度が売れたり売れなくなったりするだけなのである。このような凄い産業構造を持つ国は、世界広しといえども、日本以外にない。ドイツもアメリカもほとんど競争にはならない。グローバル化しても何の心配も要らない好例を、製造業は示してくれている。

明治維新後にしてもそうだ。もしも日本のグローバル化が二十年遅れていたら、日露戦争には勝利できなかっただろうし、そうなればひょっとすると清国や朝鮮と同じ運命をたどっていたかもしれない。それを大久保利通や伊藤博文や井上馨らが、何が何でもと欧化政策を取ったおかげでまぬがれることができたのである。ヨーロッパのまねをし、追いつき、追い越せという姿勢を全面に出して富国強兵したおかげで、つまりはグローバル化したがために、植民地にならずにすんだのだ。

とくにロシアの南下政策は脅威だった。朝鮮がロシアの一部になることは一〇〇パーセント間違いのないことであったし、日本のどこか一部を割譲するはめに陥っていたことは容易に想像できることである。

当時、シベリア鉄道の複線化が完成していたら、いかにある程度の富国強兵がなされていたとしても、日本の力ではとてもロシア軍に太刀打ちできなかったと考えられる。ロシアの兵力は日本のほぼ十倍だった。この強大な兵力がシベリア鉄道でどんどん送り込まれたらひとたまりもなかったろう。幸運なことに、当時シベリア鉄道はようやく単線が完成したばかりだったのである。

このことからも日露戦争のタイミングは、もうこれ以上の時間がたったらダメだというギリギリのところだったといえる。

事実、ロシアはすでに朝鮮半島の北まで入ってきていて、朝鮮半島がすべてロシアの手に落ちるのは時間の問題だった。これに抵抗する力は朝鮮には全くなく、そうなれば朝鮮半島はすべてロシアの一部になってしまう。この脅威を実感として日本は感じていたのである。

そういう折も折、ロシアが朝鮮海峡をへだてて日本のすぐ向かいの鎮海湾《チンヘマン》の馬山浦《マサンポ》や巨済島《コヂェド》に軍港を築くという計画が発覚した。この圧力に対抗するために、日露戦争が起こったのである。

だからある意味で、二十年のグローバル化の遅れが日本と朝鮮との差になったというのは事実だと思う。もし朝鮮が西欧化、つまり近代化を進めていれば、日本も日清・日露戦争をやらずにすんだかもしれないのである。

ではなぜ、朝鮮のグローバル化は遅れたのか。大きな理由の一つが、儒教制度だった。朝鮮においては儒教の教えを忠実に守るということが第一義であり、朝鮮はこの古い教えに縛られたために、グローバル化できなかったのである。

同じく儒教が入った日本が朝鮮と違ったのは、日本の場合には儒教が儒学になった点だろう。また儒教一辺倒ではなく、儒学もあれば蘭学もあり、仏教学もあれば神道学もあるという具合だった。儒学、となることによって、万人に共通のありがたい教えではなくなったのである。

つまりある意味では、宗教が国民生活にとってどうでもいいようなものになってしまったがために、逆に束縛されることもなくなったのである。日本のグローバル化が奇跡的に早かったのは、拘束するものが何もなかったことにもよるといえよう。

明治維新以後の日本の近代化を見るだけでも、日本は世界中の誰も想像し得ない能力を発揮したといえるだろう。とくにあの大国ロシアに勝てるなど、誰も考えられなかった。しかも、ロシア艦隊をほとんど一隻残らず沈められるなど思いもつかないことだった。

イギリスを筆頭とするヨーロッパの列強でさえできないことを、極東の弱小国が成し遂げてしまったのである。しかもチョンマゲを切ってからわずか四十年たつかたたないかのうちにである。そのグローバル化の速さ、対応の機敏さは、まさに目を見張るものがある。日本はグローバル化については得意中の得意だともいえるのである。

このことはなにも明治期に例を取るまでもない。アメリカとの戦争で負けたあの焼け野原から、今度はハイテク戦争で圧倒的に勝つに至るまで、わずか三十年余りしかたっていないではないか。

日本が戦後、飛躍的に成長した大きな要因の一つが、輸入自由化だった。

日本製品は関税で守られてきていたが、それで守られなくなるとわかると、日本人は知恵を発揮した。それなら向こうへ進出してつくればいいというわけで、現地に工場をつくった。あるいはまた、商社というシステムを考え出したのも日本のオリジナリティの表われだろう。世界を股にかけて商売するわけだから、商社というのはグローバル化そのものだといってもいい。

このように、日本人はグローバル化の名人なのである。それは、オリジナリティを発揮したというのはもちろんのこと、海外のいいものを積極的に取り入れるという柔軟な精神をも持ち合わせていたからだろう。

日露戦争の時に日本の騎兵隊を組織した秋山好古にしてもそうである。それまで日本には、せいぜい武田の騎馬軍団が話としてあったぐらいで、外国との戦争に使えるような騎兵組織などなかった。

だいたい馬そのものからして使えるものがなかったくらいなのだ。今でこそ競馬や映画などで体格のいい馬ばかり見ているせいで、われわれは馬といえば、みな立派な体格をしたものだと考えがちだが、当時の日本の馬は小さくて貧弱で、とても戦いに使えるようなシロモノではなかった。とくに、騎馬を得意とするロシアのコサック兵と戦えるわけもなかった。それを秋山は短期間のうちに、戦える日本の騎兵隊として組織してしまったのである。

軍艦にしても、帆掛け船程度のものしかなかったのを、日本はまたたく間に世界に冠たる連合艦隊にまでしてしまう。

これらすべてがグローバル化なのである。近代化というのは、今でいうグローバル化のことなのだ。だから、近代化に成功した日本は、まさしくグローバル化の名人で、グローバル化に成功した国といえる。日本人はその歴史の節目節目で見事に自己改革し、グローバル化になじんでいったのである。そしてそれは、今でも行なわれているのだ。

各界で世界の〝最高峰〟を極めている事実

グローバル化が進んでいることは、われわれの身の回りを見てもわかる。

たとえば今や純粋の日本式の家屋など、珍しがって民家園か何かで見学するくらいで、進んで住んでみようと思う人はおそらくいない。住宅というのは、人が生活していくうえでの基本だが、そのような場においてすらグローバル化が起こっている。

とくに意識しているわけではなくても、気がつかないうちにどんどんグローバル化は進んでいるものなのである。くみ取り式の便所など、よほど山奥の田舎へでも行かなければお目にかかれなくなったし、自動洗浄トイレなどといった世界でも一番進んだ便器を、何の不思議も何の不都合もなく使うようになった。

考えてみれば、洋服なども本来は西欧のものだ。それがこの分野でも、パリやミラノに進出して、三宅一生さんや高田賢三さんなど世界の一流デザイナーを輩出してしまった。欧米人でもそう簡単にはできないことを、製造業と同じく現地へ進出して成し遂げてしまっているのである。

とくに最近では、世界のオペラ劇場の中でも名実ともに最高峰のオペラ劇場の一つである、ウィーン国立歌劇場の総監督に小沢征爾さんが就任することになった。小沢さんにしても、一人で日本を飛び出して、ボストン交響楽団の指揮者として活躍し、居並ぶ世界の指揮者たちを押さえて勝ち取った地位だ。交響楽団ももちろんそうだが、オペラといったら、それこそグローバル化でもしなければ日本には流入しそうもない芸術の一つである。そこの最高峰にまで日本人が到達しているのである。

今や西欧の音楽の分野においても、日本中でコンクールが行なわれ、優秀な人材を続々と輩出している。しかも、この優秀な人たちが海外のオペラコンクール等でもトップの賞をどんどん取るに至っているというのである。

オペラの殿堂ともいわれる非常にレベルの高いイタリアにおいてすら、日本人がコンクールに参加すると、洗いざらいみんな賞をかっさらってしまうものだから、日本人のエントリーを断るところも出てきたという。日本の民謡大会で外国人が優勝してばかりいるようなものだ。教えられたことには逆らわずに正確に歌うという許容量が、日本人は高いのだろう。

このように、日本ではグローバル化が早くからなされてきた。進んでいる分野においてはほとんどすべて、日本は世界でもトップクラスに位置しているのである。これはつまり、グローバル化だといって、じたばたすることはないということを意味する。

「グローバル化」を少しも恐れる必要のない根拠

しかしこの期に及んでなお、グローバル化に反対する人が結構いる。とくに金融の分野では、グローバル化すれば大きく損する者が出てくるなどという。

だが、もしも早目にグローバル化していれば、銀行が定期預金の利子も払わないで何年も平気でいるような馬鹿なことにはならなかったはずである。だいたい、年間三十兆円以上の金利を日本の銀行は預金者に払っていない。普通の国では当然なされるべきことがなされないのは、競争がなかったからにほかならない。

外国の銀行が入っていて競争になれば、金利も払わないような銀行には誰も預金などしなくなったろう。逆にいえば、正当な金利を支払う銀行がちゃんと現われていて、われわれは恩恵を受けることができただろうということだ。グローバル化こそが、国民にとって求められることなのである。

グローバル化によって大きく損する者が出てくる、ということをしきりにいう人に対してはこう反問すればいい。明治維新でグローバル化した時に、では誰が損をしたのか、と。

確かに損をした人たちはいた。それは、殿様や上流の武士、旗本たちだ。しかしこれはおそらく人口の三パーセントにも満たないのではないかと思う。これに対して、福沢諭吉が躍り上がって喜んだというように、下級武士や商人、農民といった大多数の人たちは拍手を持って迎えたのだ。

しかも、他の国だと潰してしまうところの大名なども、爵位を与えたりして日本はきちんと残しているのである。ロシア革命やフランス革命では、上層部はみんな殺されている。日本は潰さない知恵をちゃんと働かせているのだ。おそらく貧乏藩の大名などの中には、維新によるグローバル化をかえって喜んだ者も多いはずなのである。

日本がグローバル化の名手であるのは、すべてを破壊してしまうのではなく、何かを積極的に生かしていこうという知恵を常に働かせられるからなのではないかと思う。

「ここがロードスだ、ここで跳べ！」

いずれにせよ、今後はますますグローバル化が進むことは確かだろう。

では、この急速なグローバル化に対して、個人としてどのように対応していけばいいのだろうか。

一つは、好奇心を強く持って、新しいものをどんどん受け入れ、それらを積極的に活用していこうという気構えを常に忘れないことだろう。これはつまり、進取の気性を持つということだ。そして実は、この進取の気性こそが、生き筋を見つける最大の武器の一つでもあるのだ。

たとえば、時計やマッチや傘といった日用品を、かつて日本人は好奇の目で迎え入れた。その結果何が起こったか。それらすべてについて日本は改良品をつくり、あっという間に世界のトップにまでのし上がってしまうのである。新しいものに対して臆病になってはいけないという好例だと思う。

進取の気性でそれらを勇猛果敢に自分たちのものにする姿勢――それがあったからこそ成功し得たのである。

そして実は、これらの例の中に、生き筋を見つけ出すヒントが隠されていると思う。日用品のような「小さな物」での成功が、生き筋につながるということだ。

前にも書いたように信長や秀吉といった天才たちは、その透徹した洞察力で、自らの生き筋を読むことができた。彼らは、新しい物や事態に対しての眼力を持っていたのである。だが、われわれ凡人には残念なことに、生き筋がどこにあるのか、何が生き筋なのか、皆目見当がつかない場合が多い。なかには、そんなもの見つかりっこない、と最初からあきらめてしまう人もいるかもしれない。

だが、信長も秀吉も、最初から自分の生き筋がこうだとはっきりわかっていたわけではない。小さな成功を積み重ねているうちにだんだんと生き筋が見えてきて、その先に大きなビジョンが現われてきたのである。

だから、グローバル化の時代だからといって、なにも無理して大それた目標など立てる必要はない。日常的なことでも何でもいい。まずは小さな成功を勝ち取る地道な努力をすることだ。

そしてこの積み重ねがあれば、何でもないと思われることの中に生き筋を発見したり、あるいは、他人が見捨ててしまったものの中に生き筋の種を見つけ出すこともできるのである。

要は、小さな成功の扉を開くことができるかどうかにかかっている。そして、さらに大事なことは、その小さな成功に満足してしまわないことだ。一つ成功したら、つぎの成功をめざして歩み始めることが肝心なのである。

ウエイン・ダイアーはその著『どう生きるか、自分の人生！』（渡部訳・三笠書房刊）の中で、「成功は旅であり、目的地ではない」という言葉を挙げ、古い生き方などにとらわれず、変化を恐れない新しい生き方を推奨している。まさにその通りだと思う。小さな成功に甘んじることなく、勇気を持ってつぎのステップへと進むことによって、自らの生き筋がしだいにはっきりと見えるようになるのである。

グローバル化の時代に生き筋を探すもう一つの方法は、ひたすら「明日を煩うことなかれ」の姿勢で進むことだと思う。つまり、明日のことは明日のことで、今日思い悩むことはないということだ。

生き筋は座して待っていても、とらえることはできない。これぞと思った時には、すぐさま行動に移すぐらいの勇気と機敏さとが必要になる。行動することこそが、生き筋の扉を開いてくれるのである。

だがここで、動いてしまったら明日はどうなるだろうと思い悩んでしまったとしたらどうだろう。意欲も萎《な》え、せっかくのチャンスをのがすことにもなりかねない。とくに、現在のように変化の激しい時代にあっては、明日を煩っていては何事も進まない。煩いを明日に持ち越さず、今日一日をプラス思考で事に当たることが大切なのである。

「ここがロードスだ、ここで跳べ！」といったのはドイツの哲学者ヘーゲルだが、この変化の時代にあっては〝ここ〟とはまさしく、〝今、現在〟のことといってもいいだろう。

そして、この気概と行動力があってはじめて「生き筋」の芽も芽吹いているのである。

（了）

「人《ひと》の上《うえ》に立《た》つ人《ひと》」になれ

著　者——渡部昇一《わたなべしょういち》

発行者——押鐘冨士雄

発行所——株式会社三笠書房

〒112-0004 東京都文京区後楽2-23-7

電話：(03)3814-1161（営業部）

：(03)3814-1181（編集部）

振替：00130-8-22096

http://www.mikasashobo.co.jp

印　刷——誠宏印刷

製　本——宮田製本

編集責任者　前原成寿

ISBN4-8379-1829-8 C0030

三笠書房

新・知的生活の方法

ものを考える人 考えない人

上智大学教授
渡部昇一

〝興味の波長〟が広がる――
365日、「知的刺激」を愉しむ生き方！

いつまでも「枯れない」頭を鍛える！
知的生産の基本

●〝一つのこと〟に秀でれば、たいていの望みはかなう
●人間の優れた資質のいくつかはお金にからんでいる
●大人の友人関係にはこんな「緊張感」が必要
●読書は〝グルメな読書〟を
●口グセ「自分の置かれた環境が悪い」を断ち切るヒント
●〝私的ライブラリー〟のすすめ
●「自分ではどうにもならない時間」も「自分の時間」に転化できる
●頭をリフレッシュさせる特効薬
●情報を生かせる人、情報に振り回される人
●百冊の本を読むより、はるかに実り多い〝対話〟がある
●経験を〝発想の泉〟に転化させる達人